Georges Simenon

Chez Krull

Gallimard

Georges Simenon naît à Liège le 13 février 1903. Après des études chez les jésuites, il devient, en 1919, apprenti pâtissier, puis commis de librairie, et enfin reporter et billettiste à *La Gazette de Liège*. Il publie en souscription son premier roman, *Au pont des Arches*, en 1921, et quitte Liège pour Paris. Il se marie en 1923 avec « Tigy », et fait paraître des contes et des nouvelles dans plusieurs journaux. *Le roman d'une dactylo*, son premier roman « populaire », paraît en 1924, sous un pseudonyme. Jusqu'en 1930, il publie contes, nouvelles, romans chez différents éditeurs.

En 1931, le commissaire Maigret commence ses enquêtes... On tourne les premiers films adaptés de l'œuvre de Georges Simenon. Il alterne romans, voyages et reportages, et quitte son éditeur Fayard pour les Éditions Gallimard où il rencontre André Gide.

Durant la guerre, il est responsable des réfugiés belges à La Rochelle et vit en Vendée. En 1945, il émigre aux États-Unis. Après avoir divorcé et s'être remarié avec Denyse Ouimet, il rentre en Europe et s'installe définitivement en Suisse.

La publication de ses œuvres complètes (72 volumes !) commence en 1967. Cinq ans plus tard, il annonce officiellement sa décision de ne plus écrire de romans.

Georges Simenon meurt à Lausanne en 1989.

1

De la maison Krull, de la famille Krull, ce que Hans — qui était un Krull aussi, mais un pur, un Krull d'Allemagne — découvrit en premier lieu, avant même d'être descendu de taxi, ce fut une réclame en papier transparent collée sur la porte vitrée de la boutique.

Chose curieuse, alors que tant de détails le sollicitaient, il n'eut d'yeux que pour cette réclame dont il déchiffra à l'envers les deux mots : *Amidon Remy*.

Le fond était bleu, d'un beau bleu d'outremer et un lion blanc et pacifique occupait le centre de l'image.

Le reste, à cette minute, n'exista qu'en fonction de ce lion à la crinière immaculée comme du linge : une autre réclame, transparente aussi, avec les mots *Bleu Reckitt* ; mais celle-ci, sans raison précise, ne jouait qu'un rôle de comparse ; un mot peint en jaune, une partie des lettres sur la vitre gauche de la porte, une autre sur la droite : *Buvette* ; une vitrine encombrée de cordages, de fanaux, de fouets et de parties de harnais ; enfin, quelque part dans le soleil, il y avait un canal, des arbres, des péniches immobiles et, tout le long du quai, un tramway jaune courait en sonnaillant.

— *Amidon Remy* ! épela Hans en descendant de voiture.

Le mot prenait d'autant plus figure de totem que Hans comprenait mal le français et ignorait ce que cela voulait dire.

Il pensait en levant la tête et en enfouissant la monnaie dans sa poche :

— On va voir à quoi ressemblent les Krull de France !

Au-dessus de la boutique, une fenêtre était ouverte et on apercevait la moitié supérieure d'un jeune homme en manches de chemise assis devant une table couverte de cahiers. D'un autre secteur de la maison jaillissaient de gros accords de piano.

Et voilà que Hans découvrait, derrière l'étalage aux articles de marine, dans une pénombre qui semblait lointaine, un front de femme, des cheveux gris, des yeux. Au même instant le jeune homme en bras de chemise s'encadrait dans la fenêtre du premier étage et regardait curieusement le taxi ; encore une fenêtre, à droite, qui s'ouvrait, un visage pointu de jeune fille…

Il n'y avait que trois mètres de trottoir à franchir, une porte vitrée à pousser. De la main gauche, Hans portait une valise de cuir jaune, ou plus exactement de similicuir, mais très bien imité, comme on sait le

10

faire en Allemagne. Comme il était grand, il faisait de grands pas. Un pas. Deux pas. Il tendait le bras pour tourner le bouton de la porte et celle-ci s'ouvrait toute seule tandis qu'une voix extraordinaire, une voix de femme, mais éraillée, avec un mélange cacophonique de graves et d'aigus, glapissait en premier plan de tous les autres bruits :

— Bien sûr que vous êtes une vicieuse et vous le savez… Vous êtes tous des vicieux dans la maison !… Pas seulement des voleurs, de sales petits voleurs, mais des vicieux…

Hans, sa valise à la main, dut marquer le pas cependant que deux femmes, sur le seuil, se bousculaient, l'une secouant l'autre et essayant de la pousser dehors, la mégère s'obstinant à achever son monologue.

Un mot avait frappé Hans, le mot « vicieux », dont il croyait connaître le sens, mais qu'il voyait mal appliquer à une famille Krull. Puis un autre mot, que prononça la commerçante à cheveux gris, sa tante sans doute :

— Allons, Pipi, ne faites pas de scandale !

Et « Pipi » alla se loger dans une case de sa mémoire où se trouvait déjà l'amidon Remy.

Tout cela avait duré le temps de descendre d'auto, de payer le chauffeur et de traverser un trottoir. Déjà le jeune homme du premier étage émergeait de la boutique, saisissait la femme ivre par un bras et la poussait assez violemment pour qu'elle allât vaciller à plusieurs mètres.

— Hans Krull ? questionna-t-il en prenant la valise du voyageur.

— C'est moi, oui, répondit Hans en allemand.

Il fallait, malgré tout, le temps de s'habituer : la tante le regardait de haut en bas, de bas en haut, mais on sentait que ce qui la frappait le plus c'était la valise aux nickels éblouissants.

— Entrez, cousin, disait le jeune homme qui jetait un dernier regard menaçant à la femme qu'on avait appelée Pipi.

Alors, ce fut le tour de l'odeur. Pas tout de suite : avant tout, le timbre. Quand la porte s'ouvrait et se refermait, un timbre résonnait, qu'on avait l'impression de n'avoir entendu nulle part ailleurs.

Puis, dans la boutique, venait l'odeur, un mélange de goudron de Norvège qui sert à enduire les péniches, de cordage et d'épices, avec la pointe dominante de l'alcool qu'on débitait sur un coin de comptoir recouvert de zinc.

— Venez dans le salon, cousin… On ne pensait pas que vous prendriez une auto… Anna !… Élisabeth !… Cousin Hans est ici !…

Derrière la boutique, Hans entrevit une cuisine qu'il sentait bien être le centre de la maison, mais on le fit obliquer à droite, traverser un froid corridor dallé de bleu, pénétrer dans un salon où une jeune fille quitta précipitamment le fauteuil à vis de son piano.

— Bonjour, cousin…

— Bonjour, cousine…

— Celle-ci, c'est Élisabeth, que mon père appelle Liesbeth… Voici Anna… Moi, je suis Joseph…

— Vous ne parlez pas du tout le français ? questionnait Élisabeth tandis que sa mère, les mains sur le ventre, restait figée dans l'encadrement de la porte.

— Très peu… Très mal… Vous m'apprendrez…

Toutes les initiations sont désagréables et pourtant Hans gardait sa bonne humeur, une bonne humeur particulière qu'on ne connaissait pas dans la maison. C'était plutôt une légèreté autant physique que morale. Il évoluait avec aisance et ses mouvements étaient gracieux comme ceux d'un danseur tandis que les yeux, qu'il avait petits, pétillaient de joie de vivre et peut-être de malice.

— Vous désirez que je vous montre votre chambre, cousin? récitait Joseph qui avait à peu près le même âge, vingt-cinq ans, mais qui évoluait tout d'une pièce avec application.

Les marches d'escalier étaient cirées et craquaient. La maison entière exhalait l'odeur de la boutique, en moins fort, avec, à l'étage, des relents d'intimité. Par la fenêtre du palier on découvrait une cour, un jardin planté d'un seul arbre.

— Par ici, cousin… La chambre est mansardée, mais elle donne sur le canal… Vous ne voulez pas vous débarbouiller?

Hans regarda ses mains qui étaient parfaitement nettes. Il sourit, faillit expliquer pourquoi. Devait-il le dire?

Pas tout de suite! décida-t-il. Plus tard, il lui raconterait peut-être que, dans le train de Cologne, il avait fait la connaissance d'une jolie femme, qu'il l'avait aidée à passer des objets en fraude à la frontière et qu'en débarquant à la gare il l'avait emmenée à l'*Hôtel du Chemin de Fer*.

C'était le genre d'aventures qui lui arrivaient sans cesse, presque sans le faire exprès. Elle ne s'était même pas déshabillée. Elle avait dit :

— Ma belle-sœur m'attend à quatre heures et demie et mon mari rentre à six heures…

Voilà pourquoi il avait fait sa toilette avant d'arriver chez les Krull. Il ne lui avait pas demandé son nom. Elle était montée dans un tram jaune.

— Vous avez vu presque toute la famille, expliquait consciencieusement Joseph pendant que son cousin ouvrait sa valise et en sortait quelques menus objets. Maman s'occupe du magasin…

— Pourquoi a-t-elle appelé cette femme Pipi ? C'est un nom ?

— Un surnom ! Cette femme-là est le cauchemar de ma mère. Elle vit avec sa fille et un clochard dans une péniche abandonnée dont seule une partie émerge du canal. Elle fait des commissions pour les mariniers, surtout pour ceux qui passent et qui ne stationnent que quelques minutes dans l'écluse. Elle est ivre du matin au soir et, quand l'envie l'en prend, elle s'accroupit n'importe où, au bord de l'eau, sur le trottoir, pour faire ses besoins…

— J'ai compris.

— Ma sœur Anna, l'aînée…

— Quel âge ?

— Trente ans ! C'est elle qui tient le ménage. Quand vous êtes arrivé, elle repassait le linge dans la cuisine… Élisabeth a dix-sept ans… Elle étudie le piano… Elle voudrait devenir professeur…

— Et vous ?

— Je prépare mon doctorat en médecine… C'est

dans quinze jours que je passe ma thèse sur le pneu-mothorax bilatéral…

— Et le père ?

— Il vit du matin au soir à l'atelier, avec l'ou-vrier… Vous voulez que nous allions le voir ?

C'était, au fond du couloir du rez-de-chaussée, une pièce dont la porte s'ouvrait sur le jardin. Deux hommes, assis sur des sièges si bas qu'ils semblaient assis par terre, tressaient de l'osier pour en faire des paniers.

L'un d'eux qui, avec sa belle barbe blanche, res-semblait à une statue de saint Joseph, était le père Krull, Cornélius Krull, celui qui, après avoir fait comme vannier son tour d'Allemagne, puis son tour de France, était resté dans cette ville, sans raison, comme on s'arrête de soi-même quand on est arrivé au terme du voyage.

Au lieu d'embrasser Hans au front, il y traça une petite croix avec le pouce, d'un geste qui lui était familier, puis il demanda :

— Comment va mon frère Wilhelm ?

— Bien… Assez bien… répondit vivement Hans.

— Il vit toujours chez nous, à Emden ? Dans la dernière lettre que j'ai reçue de lui, il y a trente ans, il me disait qu'il s'était établi cordonnier…

Et Cornélius Krull, le visage et la barbe en bois, continuait à manier les flexibles tiges d'osier, tandis qu'une chique gonflait tantôt la joue gauche, tantôt la droite de l'ouvrier, le seul, qui était aussi ancien dans la maison que le père Krull lui-même.

— Vous voulez voir ma chambre, maintenant, cousin ?

Elle sentait le fade. C'était la plus déplaisante des odeurs de la maison et Joseph était ennuyeux, avec son long corps inconsistant, son visage pâle et toujours sérieux, ses cheveux taillés en brosse, ni blonds ni roux, ses yeux d'un bleu terne.

— Vous préparez des examens, vous aussi ?

— J'en ai préparé… Le droit… J'ai été forcé de quitter l'université pour des raisons politiques…

— Qu'est-ce que vous faites, en Allemagne ?

— Rien… Je ne retournerai plus en Allemagne…

Il sentit que le regard de Joseph devenait froid, méfiant.

— Quand je me serai familiarisé avec le français, j'irai à Paris et je me débrouillerai… Peut-être me ferai-je naturaliser ?… Vous êtes naturalisé, vous ?

— Père était déjà français avant la guerre. J'ai accompli mon service militaire en France…

Hans ne s'éternisa pas dans la chambre de Joseph qu'il laissa en tête à tête avec sa thèse sur le pneumothorax bilatéral… *La radioscopie permettra, dès le début du pneumothorax bilatéral, de se rendre compte du collapsus pulmonaire et…*

C'étaient les derniers mots du cahier. Des accords de piano se heurtaient à tous les murs de la maison. Hans alla s'asseoir derrière sa cousine Liesbeth qui avait un long nez pointu.

— Dites donc ! il n'est pas rigolo, votre frère !

Elle sourit, mais ne dit rien.

— Votre sœur Anna non plus, d'ailleurs !

Le papier de tenture était à petites fleurs. L'été entrait par la fenêtre ouverte, avec les bruits de la rue et surtout la sonnerie triomphante du tramway jaune toutes les trois minutes. L'arrêt n'était qu'à cinquante mètres et, à chaque fois, on entendait le grincement des freins qui laissaient tomber un peu de sable sur les rails.

— Tout à l'heure, expliquait Hans en regardant la nuque de sa cousine, j'ai été assez embarrassé devant votre père…

— Pourquoi ? Parce que père ne parle presque pas ?

— Non… Parce qu'il m'a demandé des nouvelles du mien…

— C'était embarrassant ?

— Eh oui !… Voilà quinze ans que mon père est mort…

Il disait cela avec enjouement et Liesbeth, qui se retourna brusquement pour le regarder, ne put s'empêcher de sourire aussi.

— Mais sa lettre ?… La lettre qu'il a écrite à mes parents ?…

— … que j'ai écrite !

— Pourquoi ?

Il se grattait comiquement la tête. Alors qu'il était le Krull d'Allemagne, comme on disait dans la maison, il était presque brun, presque méridional d'aspect, cependant que les Krull de France avaient gardé un teint de porcelaine danoise.

— Je ne sais pas au juste… J'ai pensé qu'une lettre de mon père ferait plus d'effet qu'une lettre de moi… J'imite fort bien les écritures… J'ai donc écrit que mon fils Hans avait besoin de passer deux ou trois mois en France pour se perfectionner en français…

Il la regardait dans les yeux et c'était elle qui était forcée de détourner la tête.

— Vous êtes fâchée ?

— Cela ne me regarde pas… Mais si mon père…

— Vous le lui direz ?

— Pour qui me prenez-vous ?

— Vous comprenez : il fallait absolument que je quitte l'Allemagne et je n'avais plus que quelques marks… J'ai pensé au frère de mon père… Je me demandais seulement si, après tant d'années, il habitait toujours dans la même ville… Cela me semble drôle de voir des gens rester si longtemps à un endroit…

— Et vous ?

— J'ai vécu dans toute l'Allemagne, à Berlin, à Munich, en Autriche aussi, puis à Hambourg et sur un bateau de l'Amerika Line…

— Qu'est-ce que vous faisiez ?

— Un peu de tout… À bord du bateau, j'étais musicien… À Berlin, je m'occupais de cinéma…

— Il vaut mieux ne pas raconter cela ici, dit-elle en se tournant vers son piano.

— Je sais !

— Alors pourquoi, dès le premier jour, m'en avez-vous parlé ?

— Parce que ! répondit-il en se dirigeant vers la porte et en s'arrêtant un instant pour la regarder de haut en bas.

Aussitôt après, les notes sortaient en ribambelles du salon.

Vingt-quatre heures à peine et Hans évoluait dans la maison avec autant d'aisance que s'il y eût vécu toute son enfance ; il reconnaissait même, de n'importe quel point où il se trouvait, la voix de Pipi, qui venait dix fois par jour chercher des commissions pour les mariniers et qui chaque fois buvait son petit verre.

Il ne s'était pas seulement familiarisé avec le dedans, mais avec le dehors. D'abord, la ville ne comptait pas. On en était tout au bout et on n'en faisait déjà presque plus partie.

La preuve, c'est qu'à moins de cinquante mètres le tramway s'arrêtait, effectuait une manœuvre et faisait demi-tour.

En face de la maison, le quai qui était large, avec trois ou quatre rangs d'arbres, des bancs, des madriers, des bois de construction et des briques que déchargeaient les péniches…

Au-delà du canal, une sorte de terrain vague ou de champ de manœuvres encombré d'une longue construction rouge qui était le tir militaire ; et là, du matin au soir, on entendait les détonations en claquement de fouet des lebels. Mais c'était de l'autre côté de l'eau. Cela ne faisait pas partie du quai Saint-Léonard et par conséquent cela ne comptait pas.

Quai Saint-Léonard, il n'y avait plus, après l'épicerie Krull, qu'une maison flanquée d'un atelier : *Menuiserie Guérin*.

Ensuite un chantier, au bord de l'eau, des péniches à sec et des canots inachevés : *Chantiers de constructions maritimes Rideau*.

— Vous ne vous promenez jamais le long du canal ? demanda Hans à Liesbeth.

— On ne me laisse pas sortir seule.

— Alors, quand vous promenez-vous ?

— Le dimanche, lorsque toute la famille va au temple.

Car les Krull de France étaient restés, comme ceux d'Emden, attachés à la foi protestante.

— Vous ne vous ennuyez jamais ?

— Je m'ennuie toujours !

Lui ne s'ennuyait pas. Il furetait dans la maison, reniflait dans les moindres recoins et s'amusait de tout, même d'Anna qui jouait son rôle avec un grand sérieux.

— Vous prendrez du fromage, cousin ?

— Pourquoi prendre ? Pourquoi ne dites-vous pas manger ?

— Parce qu'en français on dit prendre du fromage... Je prends du fromage... Tu prends du fromage...

Il n'oubliait aucune de ses remarques, la mettait quelques heures plus tard en contradiction avec elle-même, gentiment, un joyeux pétillement dans le regard. Et de temps en temps, sans raison apparente, il adressait un clin d'œil à Liesbeth qui détournait la tête.

Cornélius Krull, après avoir passé les quatre cinquièmes de sa vie en France, n'avait pas pu apprendre le français. Par contre, il avait à peu près oublié l'allemand et il usait d'un curieux mélange que sa famille était seule à comprendre.

— Pipi est encore venue, tante Maria ?

Il taquinait sa tante qui était un véritable monument et il lui demandait ingénument :

— Pourquoi tenez-vous toujours les deux mains sur votre ventre ?

Deux jours ? Même pas ! Il y avait un jour et demi qu'il était là, désœuvré et nonchalant.

C'était le matin vers onze heures, une heure qu'il aimait à cause de la lumière, des odeurs de cuisine, du timbre de la boutique qui ne cessait de résonner.

Il venait de monter dans sa chambre, sans savoir au juste pourquoi, après avoir pris un morceau de saucisson dans l'armoire. Il s'était étendu tout habillé sur son lit. Il écoutait. Dans la chambre voisine, des bruits caractéristiques indiquaient que Liesbeth était occupée à retourner son matelas et à refaire la couverture.

Le regard au plafond, où les mouches avaient laissé du pointillé, il avait l'air de se demander :

— On y va ?… On n'y va pas ?… J'essaie ?… Je n'essaie pas ?…

Il mâcha la dernière bouchée de saucisson, se leva, s'essuya les lèvres et s'adressa un sourire dans la glace. Puis il tourna tout doucement la poignée de la porte, écouta, sur le palier, saisit le bouton d'une autre porte et ouvrit celle-ci sans le moindre bruit.

La preuve qu'il ne s'était pas trompé, c'est que Liesbeth se retournait brusquement, sursautait, ne pouvait s'empêcher de jeter autour d'elle un regard apeuré.

Que craignait-elle, sinon ça ?

Et le lit qui n'était pas tout à fait bordé…

Et elle qui n'avait pas de robe sous son tablier !…

— Qu'est-ce que vous… ?

Il souriait, clignait de l'œil en refermant la porte.

Quand, un quart d'heure plus tard, il s'éloigna sur la pointe des pieds, il avait une longue égratignure au visage, mais plus de gaieté que jamais dans le regard. Il ne se retourna pas, parce qu'il ne voulait pas être trop méchant. Il tourna la poignée, doucement, sans bruit, comme il savait le faire. Et il vit…

Il vit Joseph qui était là, pas tout à fait de plain-pied avec lui, car Joseph avait descendu quelques marches et ne se montrait qu'en buste.

Joseph était pâle, plus pâle que d'habitude, avec d'inquiétantes contractions des traits. On aurait pu croire qu'il était sur le point de s'enfuir, comme s'il eût été pris l'œil à la serrure.

Hans ne se demanda pas longtemps ce qu'il devait faire. Ce fut machinal. Il s'en tira avec une œillade. Il rentra chez lui, regarda par la fenêtre le train qui courait, la masse verte des arbres, des reflets d'eau coupés par les troncs, renifla un peu parce qu'il retrouvait comme du Liesbeth épars sur sa personne.

À table, au déjeuner, Joseph ne dit rien. Il était aussi ennuyeux que d'habitude, aussi pénétré de la solennité de la vie.

Le vieux Cornélius, qui seul avait droit à un fauteuil d'osier, ne parlait jamais et Hans s'était déjà demandé si c'était par bêtise.

Anna, elle, s'occupait du cousin.

— Comment appelez-vous ceci ? demandait-elle en lui désignant le plat.

— Carottes…

— Et ceci ?

— Viande !

— Côtelette de mouton… Répétez… Côtel…

Il aurait aimé rire, donner un grand coup de coude à Liesbeth assise à côté de lui et même, pourquoi pas ? lui demander à haute voix :

— Comment appelez-vous ce que nous avons fait tout à l'heure ?

Il se contenait, gardait tout cela pour lui, ne souriait pas à proprement parler, mais la gaieté ruisselait de sa personne.

— Tu ne manges pas, Liesbeth ? grondait tante Maria.

— Je n'ai pas faim.

Il se donna néanmoins le plaisir d'édicter sur un ton qui eût convenu au solennel Joseph :

— À votre âge, on devrait avoir toujours faim !

Elle lui lança un coup d'œil attristé. Il vit de la buée sur ses prunelles et il lui serra joyeusement le genou entre ses doigts.

— N'est-ce pas, Joseph ? Vous qui êtes médecin…

Les autres ne pouvaient pas comprendre. Ils croyaient que c'était une journée quelconque engluée dans la paix et dans le soleil. Ils n'imaginaient pas que quelques minutes avaient suffi…

Soudain, Liesbeth se leva, le visage enfoui dans sa serviette et, quand elle franchit la porte, on entendit le son rauque d'un sanglot.

— Qu'est-ce qu'elle a ? s'inquiéta sa mère.

Et Joseph qui regardait son cousin dans les yeux ! Le vieux Cornélius qui mastiquait lentement, sans penser à autre chose, tandis que l'ouvrier, dans l'atelier, grignotait le casse-croûte qu'il apportait chaque matin...

— Vous ne voulez pas que nous marchions un peu, cousin ?

— Appelez-le Joseph, Hans ! intervint sa tante Maria.

C'était le soir. La famille était installée sur le trottoir, le dos à la maison, l'oncle dans son fauteuil d'osier, les autres sur des chaises à fond de paille.

Le soleil venait seulement de se coucher. Une fraîcheur humide montait du canal et on voyait naître, entre les arbres, de très fines écharpes de brouillard.

Vingt mètres plus loin, sur le trottoir, devant un seuil, celui du menuisier, d'autres chaises, d'autres gens, mais qui n'avaient rien à voir avec les Krull et qui ne regardaient pas de leur côté.

Cornélius fumait une longue pipe en porcelaine, les yeux mi-clos, la barbe aussi rigide que celle d'un saint sculpté. Tante Maria marquait au coton rouge les coins d'une pile de serviettes à carreaux. Anna avait pris un livre qu'elle ne lisait pas et Liesbeth avait prétexté un malaise pour aller se coucher.

Le monde était presque vide. Les péniches dormaient. Un mince jet d'eau filtrait par une vanne mal fermée de l'écluse et mettait dans l'air un bruit de fontaine qu'émiettait, de dix en dix minutes, le vacarme du tramway dont les irruptions se raréfiaient avec la nuit.

— C'est cela... Promenez-vous un peu... Ne rentrez pas trop tard...

Hans n'avait jamais de chapeau, ce qui accentuait sa désinvolture. Il portait des chemises souples, à col ouvert et ses vêtements avaient une mollesse particulière qui soulignait la raideur de Joseph.

Pourquoi, sur la surface lisse du canal, de petits cercles se dessinaient-ils sans cesse comme pour témoigner d'une vie intérieure ?

Les deux garçons du même âge marchaient à grands pas lents.

Ils n'étaient pas seulement du même âge, mais de même taille et ils avaient tous deux de longues jambes et de grands pieds.

— Vous ne dites rien, cousin Joseph !

En se retournant, ils pouvaient voir la famille figée sur le seuil de la maison et l'autre, celle du menuisier, groupée un peu plus loin sur le trottoir. Du linge séchait sur des fils tendus au-dessus d'une péniche.

— Je me demande ce que vous comptez faire de ma sœur…

— Je ne compte rien en faire !

Le bout de la ville était derrière eux et devant c'était déjà la campagne, ou plutôt une zone neutre, avec des haies, des orties, des terrains vagues, mais pas encore de prés ni de vaches.

— Vous avez regardé par la serrure ? questionnait Hans désinvolte.

Il ne se tournait pas vers son cousin. Ce n'était pas nécessaire pour savoir que celui-ci rougissait.

— Si vous avez regardé, vous avez dû constater qu'elle en avait aussi envie que moi…

Ce qu'il vit, ce fut la main de Joseph, une main

longue, plus pâle dans le crépuscule, une main étrangement dessinée qui se mettait soudain à trembler.

— Pourquoi êtes-vous venu chez nous ? demandait Joseph d'une voix hésitante.

— Parce que je ne savais pas où aller !

— Pourquoi pas ailleurs ?

— Je viens de vous le dire… Mon père n'avait qu'un frère et une sœur… La sœur est dans un couvent de Lübeck… Je ne pouvais quand même pas aller la rejoindre au couvent…

Et, d'un ton plus léger :

— Vous avez travaillé, aujourd'hui ?

— Non !

— À cause de ça ?

— À cause de tout…

— De tout quoi ?

— De tout !

Ses mains frémissaient. Il s'était arrêté à moins de vingt mètres d'un bec de gaz, le dernier avant l'obscurité définitive de la campagne. Hans suivit la direction de son regard, aperçut une masse confuse, un couple debout dans l'ombre, un homme et une femme enlacés, la femme perchée sur la pointe des pieds pour mieux coller ses lèvres à celles de son compagnon.

— Qui est-ce ? demanda-t-il sans attacher d'importance à sa question.

— Sidonie…

— Qui est-ce, Sidonie ?

— La fille de Pipi… Peu importe…

— Dites donc, Joseph !

— Quoi ?

— Vous n'êtes pas tous un peu… un peu exaltés dans la famille ?

Ce n'était pas le mot juste. Il avait hésité. S'il avait connu le mot « piqué » il l'eût sans doute choisi.

— Pourquoi demandez-vous ça ?

— Pour rien… Parce qu'il m'arrive de penser à certaines choses… La sœur de mon père et du vôtre, quand elle n'a plus voulu être luthérienne, à la suite de la lecture de je ne sais quel livre, est entrée au couvent et certains prétendent qu'elle a des visions… Quand mon père est mort, il y avait deux ans qu'il ne pouvait supporter la vue de la couleur rouge… Vous savez comment il est mort ?

— Mon père est normal ! trancha Joseph.

— C'est possible… Je parlais pour parler… Il y a toujours autant de bateaux sur le canal ?

— Toujours… C'est le principal port de la ville…

— Vous avez beaucoup d'amis ?

— Je n'en ai pas !

— Et à l'université ?

— On n'aime pas les jeunes gens dont la mère sert à boire aux charretiers…

— Pourquoi le fait-elle ?

— Parce que les gens du quartier nous considèrent comme des étrangers et ne viennent pas chez nous… Sans les mariniers et les charretiers…

Le chemin n'était plus qu'un étroit chemin de halage en bordure du canal. Un bachot glissait lentement, celui d'un homme qui allait poser des engins prohibés et qui, tout en godillant, surveillait les berges.

— Vous avez une maîtresse, cousin Joseph ?

— Non…

Et c'était un non hargneux, méchant.

— Si nous faisions demi-tour ?…

Ils revirent le couple non loin du bec de gaz et on eût dit que les lèvres ne s'étaient pas dessoudées. Plus loin, les bateaux à sec du chantier de constructions, la famille du menuisier devant la première maison, la famille Krull enfin, avec le fauteuil d'osier, la barbe blanche, la longue pipe de porcelaine et le tablier à petits carreaux de tante Maria.

L'air était bleu, les écharpes de brume d'un bleu plus clair, tout était bleu, le ciel, les arbres, bleu de nuit et bleue aussi, quand on rentra, la réclame transparente de l'*Amidon Remy*.

Avant d'ouvrir la porte de sa chambre, Hans s'arrêta sur le palier. Il entendit un bruit qui ressemblait à un sanglot étouffé et haussa les épaules.

Puis, une fois couché, il perçut les pas de Joseph qui, dans sa chambre, en dessous de lui, tournait en rond sans penser au sommeil.

2

Avant l'événement, la vilaine découverte au bord du canal, il y eut encore trois jours ordinaires et un dimanche. C'est dire que Hans savait tout, d'abord parce que, même couché, il entendait le moindre grattement et devinait ce que c'était, ensuite parce qu'il était partout, inlassablement, dans la cuisine derrière Anna, dans la boutique quand sa tante Maria servait à boire à un charretier ou se disputait avec Pipi, dans la chambre de Liesbeth où sa cousine n'osait plus s'aventurer, dans l'atelier et chez Joseph ; le plus souvent on ne l'avait pas vu entrer et on sursautait en le voyant, on se demandait depuis combien de temps il vous regardait vivre.

Il n'ignorait pas que Cornélius était le premier levé de la maison et qu'il en était ainsi depuis son mariage. Peut-être la première fois n'y avait-il eu qu'un hasard et l'oncle avait continué. Il descendait sans bruit, en pantoufles, avec des gestes de souris, des gestes qui grignotent, il descendait d'abord à la cave où il remplissait deux seaux de charbon. Puis il allumait le feu et Hans en était averti par une bouffée de pétrole, car Cornélius arrosait son bois de pétrole.

Après, la porte de la boutique s'ouvrait ; l'oncle moulait le café et enfin, en attendant que l'eau vînt à bouillir, bourrait sa longue pipe.

À six heures, il trottait menu dans l'escalier et allait poser une tasse de café sur la table de nuit de sa femme.

Hans savait encore…

Une chose, en tout cas, qu'il ne savait pas et qu'il apprit ce dimanche-là ! D'abord que, si on fermait les volets de la boutique, la porte restait entrebâillée et qu'on servait aussi bien à boire que de l'épicerie. Ensuite que tout le monde n'allait pas au service protestant, toujours à cause du magasin : à tour de rôle, la tante Maria ou Anna restait à la maison.

Les autres, ce jour-là, prenaient le tram au coin de

la rue et rien que l'attente à l'arrêt avait une certaine solennité. L'oncle, en redingote, les mains roides dans des gants de fil gris, regardait fixement devant lui. Joseph gardait son air d'ennui et tenait de sa mère la manie de pencher la tête de côté dans une attitude nostalgique ou résignée.

Les voies du Seigneur sont impénétrables...

Ce fut le thème du prêche de ce dimanche-là. Quand on sortit du temple, la ville était animée et la fête foraine battait son plein dans le quartier central où on se trouvait.

— Vous êtes parfois montée sur les chevaux de bois, cousine? demanda Hans à Liesbeth.

Dès qu'il la regardait, elle se croyait obligée de rougir et Joseph ne supportait pas davantage le regard de son cousin.

Hans riait, réalisait l'étrangeté de ce passage de la famille Krull à travers la foule de la fête. Non seulement ils sortaient du temple au lieu de sortir de l'église, non seulement l'oncle Cornélius parlait à peine le français, mais tout en eux, et jusqu'au sourire résigné de Joseph, était étranger à ce qui les entourait.

Au lieu de reprendre le tram là où on l'avait quitté, on allait, par tradition, à l'arrêt suivant et, traditionnellement encore, on s'arrêtait dans une pâtisserie pour y acheter un gâteau que Liesbeth portait par la ficelle.

Pauvre Liesbeth qui n'osait plus soutenir le regard des gens et qui se faisait un monde du tout petit événement qui avait meurtri sa chair! Le curieux, c'est qu'elle avait été plus bouleversée de ce que Hans l'eût contemplée, pour ainsi dire, morceau par morceau que de ce qu'il avait fait ! Et maintenant encore il lui arrivait d'avoir un geste instinctif vers sa poitrine, comme pour s'assurer que ses petits seins en poire n'étaient pas nus !

— Les voies du Seigneur sont impénétrables, annonça Joseph à sa mère qui aimait connaître le thème du prêche.

M. Schoof vint à trois heures, avec Marguerite. Hans, qui ne les connaissait pas encore, était au courant des moindres détails de leur vie. M. Schoof était le seul ami de la famille, un Allemand naturalisé, lui aussi, arrivé en France vers la même époque que Krull et installé rue Saint-Léonard marchand de beurres et fromages.

Il était tout petit, tout rond, tout rose avec des yeux de myosotis et des lèvres d'enfant au biberon et Marguerite n'avait pas moins de fraîcheur dans sa personne boulotte qui faisait penser à quelque chose de comestible.

Elle n'était pas, à proprement parler, la fiancée de Joseph, mais c'était tout comme, car il avait été décidé depuis toujours qu'on les marierait.

Anna montra un nouveau point de crochet ; Marguerite rougit plusieurs fois en rencontrant le regard de Hans qui se posait volontiers sur son corsage tendu à craquer. Que fit-on encore ? Rien. Cornélius ne parlait pas. Il était dans son fauteuil d'osier comme dans un tableau de famille et rarement il retirait sa pipe de sa bouche, d'un geste hiératique, pour laisser tomber quelques syllabes destinées à son ami Schoof.

Schoof était béat. Ils étaient heureux tous les deux,

sur le trottoir, à regarder le canal, le tram qui passait de temps en temps, une famille endimanchée qui allait en visite. On reniflait l'odeur du chocolat qu'on préparait chez le menuisier d'à côté où le dimanche avait à peu près le même rythme et Hans observait parfois les mains de Joseph, prévoyait le moment où elles se crisperaient dans un spasme comme si soudain son cousin était pris de vertige.

— Si on montait un instant ? souffla-t-il à l'oreille de Liesbeth assise bien sagement sur sa chaise.

Cela aurait été amusant, dans ce calme, avec la fenêtre ouverte et la famille en cercle sur le trottoir, mais Liesbeth sursauta comme si on lui eût parlé d'un blasphème.

Peut-être avec Anna ? Par malheur, elle avait déjà cet aspect solide, coriace de sa mère et Hans s'était aperçu qu'elle portait une ceinture qui la rendait aussi dure qu'un ancien bahut.

Le temps finissait par passer, puisque la table qu'on avait desservie après le déjeuner, dressée puis desservie encore pour le goûter, était à nouveau couverte de sa nappe et de ses assiettes en prévision du dîner.

Après ce dernier repas seulement, Hans sortit, alla rôder à la fête foraine, nu-tête, selon son habitude, les mains dans les poches, la cigarette aux lèvres, avec cet air d'être partout chez lui qui déroutait Joseph.

Il remarqua une petite jeune fille en laquelle il fut presque sûr de reconnaître celle qu'il avait aperçue dans l'ombre du quai, serrée contre un homme, cette Sidonie qui était la fille de la fameuse Pipi.

Il la suivit un bon moment à travers la foule. Elle était au bras d'une autre gamine encore plus jeune qu'elle. Sidonie, malgré ses seize ans, jouait à la demoiselle, ou plutôt à la grue élégante.

Elle avait dû voir *la Dame aux camélias* et, tandis qu'elle évoluait sur le champ de foire, elle se donnait l'illusion d'être le point de mire, d'être celle vers qui allaient tous les désirs des hommes et la jalousie des femmes.

Cela se sentait à sa façon de marcher, de regarder autour d'elle, de se pencher sur sa docile compagne et de lui faire en riant des confidences.

Elle n'était pas laide. Maigrichonne et pâlotte, mais avec des traits fins, un petit corps joliment dessiné qu'elle serrait exagérément dans son tailleur pour faire ressortir ses jeunes formes.

Hans faillit… Mais non ! Il haussa les épaules. Il n'avait pas le courage de l'emmener avec son amie dans toutes les loges foraines avant de l'entraîner — peut-être ! — vers quelque coin sombre.

Il fit soudain demi-tour, car il avait aperçu son cousin Joseph qui déambulait comme lui dans la foule, à la différence près que Joseph avait les traits tendus, le regard fixe, l'air de faire quelque chose de très grave ou de très difficile.

Hans s'amusa un certain temps à le regarder de loin et il fut tout à fait content quand il vit le grand jeune homme sévère suivre maladroitement le sillage de Sidonie.

— Sûr que ses doigts tremblent ! pensa-t-il.

Les Schoof étaient rentrés depuis longtemps. Les Krull dormaient. Hans but un verre de bière à une terrasse, chercha son cousin des yeux et rentra se coucher. Un léger bruit dans la chambre voisine lui indiqua que Liesbeth ne dormait pas, mais il n'avait pas le goût de la rejoindre, surtout qu'elle pleurerait et qu'il faudrait parler.

Le bruit des pelletées de charbon, dans la cave, puis, assez longtemps après, le moulin à café. Hans se leva, sans raison, descendit en pyjama avec l'idée, peut-être, de voir son oncle de plus près.

Il tombait une petite pluie fluide qui ne durerait pas et qui donnait à la verdure des quais toute sa valeur. Des millions de cercles mouvants naissaient et mouraient sur la face lisse du canal. Des ouvriers passaient en vélo.

— Bonjour, oncle !

Et l'oncle Cornélius le regardait curieusement, pas encore habitué à ce garçon, encore moins à l'idée qu'on pût prendre l'air sur le trottoir en pyjama. Mais il ne disait rien. Il ne disait jamais rien. C'était peut-être un idiot, peut-être un philosophe qui vivait tout doucettement sa vie personnelle à l'abri d'une invisible carapace.

Juste devant la maison, une péniche à moteur, une grosse péniche brune à l'avant arrondi, s'apprêtait à partir. La femme, sur le pont, poussait sur la perche afin d'éloigner le bateau de la rive tandis que son mari, en bas, essayait de mettre en marche le moteur diesel dont on entendait parfois quelques halètements.

Le moteur ne partait pas. L'écluse était ouverte.

D'autres péniches attendaient, derrière celle-là. La femme se penchait sur l'écoutille et parlait à son mari en flamand.

Alors, malgré les gouttes d'eau, Hans traversa la chaussée, toujours en pantoufles, en pyjama, le corps à l'aise, les mouvements libres, une première cigarette aux lèvres.

Un instant, il fut intéressé par des soldats qui, de l'autre côté de l'eau, pénétraient dans les bâtiments de tir. Ensuite, il essaya de comprendre ce que l'homme et la femme se disaient en flamand.

En se retournant, il pouvait voir la maison des Krull, la boutique des Krull et son oncle sur le seuil, avec sa longue pipe tellement allemande.

Soudain l'eau fut agitée de remous et de la fumée grasse gicla du pot d'échappement. Le marinier émergea sur le pont, courut vers le gouvernail.

— Hé ! lui cria Hans.

L'homme se retourna, se pencha pour voir ce que le jeune homme lui désignait dans l'eau.

Hans ne savait pas non plus ce que c'était : du blanc, dans les remous, comme une grosse pièce de linge. Le nez de la péniche s'avançait déjà entre les murs ruisselants de l'écluse. Le marinier se pencha encore, regarda devant lui, à cause de la manœuvre, puis soudain poussa un cri et se mit à gesticuler.

Les autres, à terre, l'éclusier, un pêcheur, des mariniers qui attendaient, se rapprochèrent curieusement. L'homme, avec sa gaffe, poussa la chose blanche vers la berge et on reconnut alors que c'était un corps, tout nu, livide, un corps dont on ne voyait pas encore la tête parce qu'elle était plus lourde et qu'elle restait sous l'eau.

Avant tout, il fallait que le bateau entrât dans l'écluse. De terre, le pêcheur essaya d'amener le corps avec le gros bout de sa canne, mais le bambou était trop léger et chaque fois la chose blanche reculait au lieu de se rapprocher.

On était là quatre, cinq, à regarder, puis davantage, car des gens venaient des bateaux amarrés, un petit garçon, une femme qui donnait à téter, un employé du gaz avec sa casquette…

Un des mariniers remonta à son bord, sauta dans son bachot qu'il poussa vers le cadavre. Et quelqu'un, juste à ce moment, demandait à Hans :

— Qu'est-ce que c'est ?

Il haussa les épaules. On ne s'était pas aperçu qu'il ne pleuvait plus et qu'une légère buée commençait à monter du canal.

D'abord l'homme du bachot essaya de retirer le corps avec sa gaffe et c'était un peu écœurant à voir, parce qu'il piquait dans la chair avec le croc de fer ; mais chaque fois le corps se détachait.

Il hésita, pas dégoûté mais un peu gêné quand même ; après un coup d'œil aux spectateurs, il eut l'air de dire :

— Tant pis ! Il n'y a que cela à faire…

Il se courba en deux, prit la chose à bras le corps et la souleva, la tint un bon moment hors de l'eau comme un étrange mannequin et la laissa enfin retomber, ruisselante, dans le bachot.

On avait eu le temps de voir que c'était une femme ou plutôt une petite fille. Et maintenant, sur la berge, on marchait lentement, en suivant le bachot qui allait accoster un peu plus loin, là où c'était plus facile.

Le corps était étendu sur l'herbe du talus et on avait jeté dessus un morceau de bâche. Un agent se tenait debout à côté, écoutant les commentaires des curieux.

Quand Hans se décida à traverser le quai pour rentrer à la maison, on le suivit instinctivement des yeux, peut-être parce qu'il avait découvert la chose, peut-être parce qu'il était en pyjama et qu'il parlait une langue étrangère.

Tante Maria, qui venait de descendre, regardait dehors à travers la vitre et Hans lui annonça :

— Un cadavre qu'on a repêché…

— On en retire de l'eau tous les mois, répliqua-t-elle. On dirait qu'ils le font exprès de venir s'échouer devant la maison…

Hans avait un peu froid, car son pyjama était mouillé ; il monta dans sa chambre pour passer un veston, mais garda le pantalon de son vêtement de nuit.

Dans l'escalier, en descendant, il croisa son cousin Joseph qui, quand il n'était pas lavé, avait une figure en papier buvard.

— Qu'est-ce qu'il y a ? questionna-t-il. On dirait qu'ils ont encore repêché un noyé…

— Une noyée ! précisa Hans.

— Ah !

— Je crois que c'est Sidonie…

Aucun doute n'était possible : les doigts trem-blèrent. Et, en même temps, la pomme d'Adam fit un véritable bond le long du cou maigre de Joseph.

— Qui est-ce qui dit cela ?

— Personne… C'est moi… À propos, cousin…

— Quoi ?

— Rien ! fit Hans en s'en allant.

C'était plus pratique. Et puis, il avait déjà perdu assez de temps et il voulait voir la suite.

Quand il atteignit la berge, il y avait au moins cinquante personnes et, en se retournant, on voyait des gens sur les seuils et aux fenêtres. Un homme mal réveillé, sans faux col ni cravate, arrivait en soufflant, piloté par un gamin aux pieds nus.

C'était le docteur. Il regarda les curieux avec reproche, fit le geste de les balayer, se pencha pour soulever un coin de la bâche.

Bien entendu, il n'avait pas besoin de tâter le corps qui était tout ce qu'il y a de plus mort, mais il se tourna vers l'agent de police à qui il annonça à mi-voix :

— C'est Sidonie Pipi…

Il l'avait soignée à plusieurs reprises et il avait même tenté de la faire partir pour un sanatorium, car elle était tuberculeuse. La mère, qui ne croyait pas aux médecins ni à la maladie, n'avait pas voulu, d'autant moins que Sidonie, qui était vendeuse dans un magasin de chaussures, rapportait un peu d'argent.

— Le commissaire va venir ?

À nouveau il regardait avec mauvaise humeur ces gens qui restaient là à contempler une bâche. Il fallait attendre. Le ciel n'était plus bleu pâle comme au début, mais rose, avec seulement un peu de bleu dans les lointains. Les tirs commençaient, en face, ébranlant l'air à chaque coup et une sirène de bateau appelait l'éclusier qui s'éloignait à regret.

Hans était le seul à trouver naturel d'être là en pantalon de pyjama, le torse nu sous un veston verdâtre. Il ne s'apercevait pas qu'on le regardait et qu'on échangeait des commentaires à son sujet. Il attendait Joseph qui traversa enfin la chaussée en compagnie de sa sœur Liesbeth.

Liesbeth regarda le petit tas sous la bâche, questionna :

— C'est ça ?

Elle frissonna, ramena son châle sur sa poitrine, balbutia en s'éloignant :

— J'aime mieux m'en aller…

On regardait Joseph aussi, bien qu'il n'y eût rien d'original ni de saugrenu dans sa tenue. Lui, on le regardait parce que c'était le fils Krull et que les Krull constituaient un clan à part.

Il ne parlait pas. Il s'était contenté de saluer le docteur. Il se tenait près de Hans et de temps en temps passait son doigt au-dessus de sa lèvre supérieure où perlait de la sueur.

Le commissaire arriva enfin, à vélo, n'eut pas la curiosité de soulever la bâche mais emmena le docteur à l'écart et tous deux firent un moment les cent pas en discutant à mi-voix et en gesticulant. Après quoi le commissaire envoya un de ses agents faire une commission.

Lui-même, bourrant et allumant sa pipe, longeait la berge dans la direction des chantiers Rideau, dépassait ceux-ci et il devenait évident qu'il se rendait chez Pipi.

On suivit, presque tout le monde, à distance, bien entendu. Les premiers trams circulaient. Des sirènes et des coups de sifflet annonçaient la reprise du travail dans les usines et les ateliers.

Hans, qui marchait avec la foule, ne s'étonna pas de voir que Joseph était toujours à côté de lui.

— Elle doit être soûle ! dit-il.

La péniche de Pipi n'était pas une vraie péniche de trente et des mètres mais un petit bateau hollandais démembré dont plus de la moitié reposait sur la vase. Il fallait, pour y monter, franchir une mauvaise planche qui fit hésiter le commissaire.

Une fois sur le pont, il se pencha, frappa à l'écoutille, attendit, se pencha encore pour appeler.

Et on vit surgir enfin le visage de Pipi qui, le matin, était bouffi, déformé, avec de gros yeux sans expression. On n'entendit pas ce que le commissaire lui disait et elle disparut quelques secondes, surgit à nouveau, le torse, puis les jambes, se précipita vers la planche servant de passerelle en grognant à l'adresse de la foule :

— Si ce n'est pas malheureux !…

Mais on ne pouvait savoir ce qui était malheureux, de voir les gens perdre leur temps pour assister à pareil spectacle ou d'apprendre soudain la mort de sa fille.

Hans nota un tout petit détail. Tandis qu'elle marchait, Pipi, qui respirait très fort, passa tout près de Joseph et marqua un temps d'arrêt, comme si elle était sur le point de l'interpeller. L'élan la fit dépasser le jeune Krull et elle poursuivit sa route en parlant toute seule tandis que la foule, y compris le commissaire, ne suivait que de loin.

Sur le seuil de l'épicerie, Hans aperçut sa tante et Anna, ne vit ni l'oncle, ni l'ouvrier, ni sa cousine Liesbeth qui devait être dans tous ses états.

— Montrez-la-moi, que je vous dis !... hurlait Pipi qui semblait défier la foule et les autorités.

Ce que son visage exprima, quand elle entrevit le visage de sa fille sous la bâche, ce ne fut pas tellement la douleur que la haine.

— Si ce n'est pas malheureux !...

Elle tordait la bouche comme pour pleurer, mais elle ne pleurait pas. Elle aurait bien voulu faire quelque chose. Elle sentait que c'était nécessaire. Elle ne trouvait pas et elle se tournait soudain vers le public, montrait le poing, glapissait :

— Et vous n'avez pas honte de regarder ça, tas de feignants ? Vous croyez peut-être que vous êtes au théâtre ?

Le fourgon de la morgue s'arrêta juste en face de l'épicerie Krull. Deux hommes traversèrent le terreplein avec un brancard et on entrevit encore un instant le corps livide sur lequel dansait l'ombre des feuilles de platanes.

Ahurie, la mère demandait au commissaire :

— Où est-ce qu'on va l'emmener, maintenant, ma pauvre fille ?

Elle puait l'alcool. Elle était sale. On s'écartait sur son passage et on craignait autant ses puces qu'une bordée de mots orduriers.

— Tu me l'amèneras ! dit le commissaire à un agent.

Il préférait s'en aller à vélo. L'agent longeait les murs avec Pipi qu'il avait l'air de conduire au poste et il y avait encore des gens pour suivre jusqu'au commissariat.

Le docteur parlait à un notable du quartier, à l'écart, et Hans surprit le mot :

— … autopsie…

Il regagna la maison, déjeuna machinalement, tout seul dans la cuisine. Quand il monta pour s'habiller, la porte de Liesbeth était ouverte. C'était exprès, évidemment. Sa cousine faisait semblant de travailler, le visage défait, les yeux suppliants.

— C'est affreux, Hans ! gémit-elle.

Et les larmes montaient ; on les sentait, on les voyait sourdre, elles gonflaient les paupières comme les lèvres se gonflaient de sanglots.

— Hans !…

Ce n'était pas seulement Sidonie… C'était tout… Et c'étaient aussi les nerfs… Est-ce qu'il ne comprenait pas qu'elle avait besoin d'être rassurée, d'être serrée contre sa poitrine, d'entendre des mots, n'importe lesquels ?

— Ce n'était pas très joli, c'est vrai ! constata-t-il.

Car sa cousine en larmes ne l'émouvait pas et il était décidé à échapper à la corvée.

Il entra dans sa chambre dont il referma la porte, retira son veston, emplit d'eau sa cuvette.

Il la sentait, à côté, pas encore apaisée. Il devinait les sanglots, les gestes de la main avec le mouchoir, les grimaces et sans doute, malgré tout, le petit coup d'œil à la glace pour se voir pleurer.

Puis le flottement d'une robe dans le corridor, un silence, de l'immobilité, un frôlement, un grattement contre la porte.

Le blaireau à la main, il se savonnait les joues et ses yeux pétillaient de malice.

— Hans !…

Ce n'était qu'un soupir. Il ne fallait pas qu'on entendît, d'en bas.

— Je suis très malheureuse, Hans !…

Eh bien ! tant pis ! Il n'avait aucune envie d'ouvrir la porte et il faillit même donner un tour de clef.

C'était Sidonie qui était morte et c'était Liesbeth, parbleu, qui était malheureuse !

Le journal local ne paraissait que le matin, de sorte qu'il fallait attendre le lendemain pour avoir des nouvelles officielles.

Néanmoins, bien avant cela, on comprit qu'il se passait quelque chose de grave. D'abord, dès onze heures, une auto s'arrêta en face de l'épicerie, si près que tante Maria sursauta, croyant que c'était pour elle.

C'était le Parquet, quatre hommes sombres qui traversèrent le terre-plein et atteignirent la berge où les attendait le commissaire.

Depuis longtemps la vie du port avait repris son cours et on entendait, outre les coups de fusil du tir, les marteaux des charpentiers du chantier Rideau et le vacarme de l'écluse chaque fois qu'elle se remplissait ou qu'elle se vidait.

Pourtant, en quelques instants, un groupe se forma,

plus hésitant, plus timide que le matin, à cause du prestige des magistrats.

Hans, les mains dans les poches, traversa la chaussée et, en se retournant, vit son cousin dans sa chambre, en bras de chemise, penché sur ses cahiers.

— Qui a aperçu le corps le premier ? questionnait le juge d'instruction.

Et le commissaire de répondre :

— Le marinier de la *Belle Hélène*. Je l'ai autorisé à continuer sa route. J'ai cru bien faire, étant donné que j'ai enregistré sa déposition…

— C'est moi qui ai aperçu le corps, affirma Hans en s'avançant.

Et son accent, son mauvais français firent froncer les sourcils. On se regardait avec l'air de dire :

— D'où sort-il, celui-là ?

— Je prenais l'air… J'habite en face, chez mon oncle Krull… J'ai vu quelque chose près de l'hélice de la péniche…

— Vous voudrez bien l'entendre, commissaire ?

— Je le convoquerai tout à l'heure.

Hans restait là. On ne savait comment s'en débarrasser.

— Je vous remercie… disait le juge.

Et lui, s'éloignant à peine, écoutait.

— Que dit sa mère ?

— D'abord, sous le coup de l'émotion, elle a prétendu que c'était Potut…

— Qui est Potut ?

— L'homme avec qui elle vit plus ou moins maritalement… Si vous le désirez, nous irons tout à l'heure visiter la péniche… C'est plein de puces et de vermine… Rien que de mettre les pieds sur le pont, on en est couvert…

— Mais Potut?

— Un homme qui a été bien, qui est instruit… Je crois que c'est un ancien croupier… Maintenant, il est ivre du matin au soir, comme sa maîtresse… Le matin, il va rôder au marché aux légumes où il donne de temps en temps un coup de main… En réalité, c'est elle qui l'entretient…

— Où est ce Potut?

— On l'ignore, mais on ne tardera pas à le retrouver. Il reste des deux et des trois jours absent, à cuver son vin dans un coin… Cette nuit, il n'est pas rentré… Il est vrai que c'est la fête foraine au quartier Sainte-Marguerite… Il trouve toujours à y grappiller…

Le juge regarda sévèrement Hans qui écoutait par trop visiblement mais le jeune homme n'eut pas l'air de s'en apercevoir et se contenta d'allumer une cigarette.

— Et la petite?

— Vous devez vous rendre compte… Avec cette promiscuité… Il paraît que Potut a déjà essayé une fois… La péniche ne comporte qu'une seule pièce habitable, si l'on peut dire…

— On est sûr qu'elle a été étranglée? questionna le substitut.

— Étranglée et violentée… Ici même, sans doute, car on a relevé des traces d'herbes… Il faudra retrouver les vêtements qui doivent être dans le canal…

— Les chaussures? demanda encore le magistrat.

— Non ! On lui a laissé ses chaussures et ses bas.

De temps en temps, le regard de Hans allait cueillir, de l'autre côté de la chaussée, le rectangle d'une fenêtre, des manches de chemise éblouissantes dans la pénombre, des cheveux en brosse au-dessus d'un gros cahier.

— Je vais charger des hommes de fouiller le canal avec des grappins…

— Qu'est-ce que vous avez fait de Pipi ?

— Elle est dehors… Elle doit être à boire dans quelque bistrot… Quand elle a eu presque accusé Potut et que je lui ai relu sa déposition, elle m'a regardé avec étonnement, a tout nié, a juré qu'elle n'avait jamais dit cela et que Potut était incapable de faire du mal à sa fille… Vous voyez combien c'est facile !… Tout à l'heure, quand elle aura bu, ce sera, sans doute, une autre chanson…

Le juge prenait des notes, avec un porte-mine en or, dans un carnet minuscule et soigné comme un carnet de bal.

— Allons toujours jusqu'à la péniche, décida-t-il.

Il se retourna vers Hans, sourcilla, prononça sèchement :

— Quant à vous, on vous convoquera au commissariat pour vous entendre s'il y a lieu…

Cela n'empêcha pas Hans de suivre, avec quelques-uns, le groupe qui longeait le canal et qui hésitait devant la planche branlante de la péniche.

— On ne pourrait pas se procurer une autre passerelle ? suggéra le substitut.

Le commissaire se dévoua, alla parlementer avec Rideau, le charpentier de marine. Ces messieurs ne se pressaient pas, fumaient des cigarettes, regardaient le décor autour d'eux.

— Ce qu'il y a de curieux, remarqua le juge en coupant avec les dents le bout d'un cigare, c'est que, d'après le médecin légiste, cette Sidonie était encore vierge hier au soir…

Et le mot faisait errer sur ses lèvres un sourire équivoque.

— Vraiment curieux ! répétait-il en frottant une allumette. Vous ne trouvez pas ?

— Ce que je trouve curieux, si cela s'est passé sur la berge, c'est que personne n'ait rien entendu. Il y avait des péniches à proximité. Il y a les maisons…

— Si elle a été serrée à la gorge aussitôt…

— Vous croyez qu'elle connaissait son agresseur ?

— Il y a des chances ! Sans doute se promenait-elle avec lui…

Près de Hans, un jeune garçon écoutait de toutes ses grandes oreilles décollées et, à moins de cinq mètres, deux gosses se roulaient dans les herbes comme de jeunes chiens. Une femme, sur un bateau, lavait son linge et cela évoquait pour Hans l'*Amidon Remy* et le *Bleu Reckitt*.

Pour pénétrer par l'écoutille, ces messieurs du Parquet retroussaient leur pantalon, prenaient des précautions, poussaient de petits cris comme des demoiselles qui ont peur de se salir.

Et au même moment Pipi entrait chez les Krull, les pupilles déjà dilatées, comme cela ne lui arrivait d'habitude que vers le soir. Elle regardait durement tante Maria qui était son ennemie intime, lançait en guise de bonjour :

— Vieille salope !…

Elle allait droit au petit zinc qui terminait le comptoir, grommelait :

— Alors, est-ce que tu me sers ?

Et tante Maria soupirait, saisissant un flacon de rhum couronné d'un bouchon en étain, d'une sorte de bec qui s'ouvrait dès qu'on penchait la bouteille :

— Ma pauvre Pipi…

— Je n'ai pas besoin qu'on me plaigne…

— Vous voyez maintenant où ça conduit…

Peut-être Pipi était-elle aussi nécessaire à tante Maria que tante Maria à Pipi. L'une pouvait venir régulièrement déverser sa bile. Elle trouvait, chez les Krull, un endroit où, tout en buvant, il lui était loisible de concentrer ses haines et ses rancœurs.

Tante Maria, de son côté, avait la possibilité de soupirer de toute sa vertu devant un spécimen accompli de la déchéance humaine.

— Vous devriez avoir honte de boire un jour comme aujourd'hui…

Et Pipi, déjà ivre, de riposter :

— Quand est-ce qu'on boirait, alors ? Si on avait violé et tué ta fille…

Puis soudain elle éclatait en sanglots.

Entre le temps où Sidonie mourut et fut jetée, nue, dans le canal, et le temps où les hommes s'occupèrent d'elle, non plus comme d'une petite fille pauvre et malingre mais comme d'un des éléments d'un drame qui la dépassait, il s'écoula au moins dix jours ; dix jours pendant lesquels il n'y eut en somme pas de Sidonie du tout, ni celle en chair qui était morte, ni l'autre qui n'était pas encore née.

Nul ne le faisait exprès. Il n'y avait aucun ostracisme contre elle. Le commissaire et le Parquet s'étaient dérangés et une pincée de foule avait suivi leurs déplacements le long du canal.

Le lendemain matin, c'est en toute bonne foi que le journal devait écrire, en chronique locale, à la page qui n'était jamais bien imprimée :

Quartier Saint-Léonard. Des mariniers ont retiré du canal, à proximité de l'écluse, le corps d'une nommée Sidonie S..., vendeuse, qui semble avoir séjourné une nuit dans l'eau. D'après l'autopsie, Sidonie S..., avant d'être jetée dans le canal, aurait été étranglée et elle aurait en outre subi d'odieuses violences. Une enquête est ouverte.

Beaucoup plus loin, deux lignes sans titre :

La police a arrêté le nommé Potut, soupçonné d'être l'auteur de l'odieux attentat de Saint-Léo-

nard. Potut, en état d'ivresse, n'a pu être interrogé
utilement.

Il faut ajouter que les jours suivants furent particulièrement chauds. Comme chaque été, l'eau du canal commença à sentir. Il fallait mettre des papiers à mouches dans tous les coins et ils se couvraient en quelques minutes d'une épaisse couche noire et bruissante.

Il y eut aussi la distribution des prix dans les écoles. Et encore un petit manège ridicule, un manège pour enfants, qu'un poney faisait tourner, qui vint s'installer à côté du chantier Rideau, peut-être parce qu'il ne savait où se mettre pour les vacances ; de temps en temps, le propriétaire le faisait tourner et on entendait jusqu'à l'écluse sa musique aigrelette.

Si on avait questionné tante Maria qui pourtant avait toujours des pressentiments, elle eût sans doute affirmé qu'il n'y aurait jamais d'affaire Sidonie.

La preuve, c'est que le jour même de la découverte du corps, elle avait déjà d'autres soucis. L'étalage du magasin arrivait juste à hauteur de ses yeux, si bien qu'en se tenant droite, sans avoir besoin de se hisser sur la pointe des pieds, elle pouvait voir ce qui se passait dehors.

De leur côté, il arrivait aux passants qui s'arrêtaient devant la vitrine de sursauter en découvrant soudain ce haut de visage, ces yeux, ce front, ces cheveux d'argent dans la calme pénombre de la boutique. Certains s'en allaient gênés, ou mécontents, comme si on les eût pris en traître.

Tante Maria, ce jour-là, regardait plus loin, vers la

berge du canal où des silhouettes s'agitaient, où des curieux suivaient les efforts d'hommes installés dans deux bachots.

C'étaient ceux qu'on avait chargés de chercher avec des grappins les vêtements de Sidonie.

Or, ce que regardait Maria Krull, ce qui l'énervait, c'était Hans qui allait de groupe en groupe et qui pérorait. On le reconnaissait d'autant mieux qu'il était en gris clair, sans chapeau, le col de chemise ouvert, avec une allure toujours trop dégagée, trop désinvolte.

Comme son français était encore élémentaire et son accent affreux, il était obligé, pour se faire comprendre, d'avoir recours à de grands gestes et tante Maria en perdait patience.

— Il faut absolument que quelqu'un le lui dise, murmura-t-elle à l'adresse d'Anna en poussant la porte de la cuisine.

Anna, pas plus que Liesbeth, n'avait le droit de pénétrer dans la boutique, parce que ce n'était pas convenable, pour des jeunes filles, de servir à boire.

C'était le domaine de tante Maria qui n'avait pas peur du plus effronté des ivrognes et qui le poussait dehors comme un homme. Anna régnait sur la cuisine mais sa mère, entre deux clients, entrouvrait la porte voilée d'un rideau de guipure.

Ce jour-là, elle l'ouvrit plus souvent que d'habitude, tissant par petits bouts une véritable conversation qui, de phrase en phrase, de soupir en soupir, emplit presque toute la journée.

— Les gens nous reprochent déjà assez d'être

étrangers !… Si encore il ne se mêlait pas de tout ce qui se passe…

C'était le jour des couteaux et des couverts qu'Anna frottait avec une pâte rose qui répandait une odeur aigre.

Tante Maria repartait, revenait, passait de l'odeur du magasin à celle de la pâte et de la soupe, toujours calme mais le front soucieux, les mains à plat sur le ventre.

— On devrait lui dire de ne pas parler aux voisins… En ville, ça n'a pas d'importance… Qu'il voie tout ce qu'il veut… Mais ici, dans le quartier… Je suis sûre qu'il dit à tout le monde qu'il est allemand…

Et Maria penchait la tête sur le côté droit, car il y avait déjà tant d'années qu'elle souffrait d'être allemande qu'elle ne les comptait plus.

Le timbre résonnait. On l'entendait, de l'autre côté de la porte, qui soupirait encore, car ses clientes avaient presque toutes la manie d'être malheureuses et tante Maria se lamentait avec elles.

— Vous devriez lui donner de l'eau sucrée toutes les heures, recommandait-elle à une femme de marinier qui portait sur le bras un bébé littéralement verdâtre. Moi, quand j'ai eu mon troisième…

Le front dépassait, les cheveux blancs, les yeux et quand tante Maria ouvrait à nouveau la porte de la cuisine c'était pour s'exclamer :

— Jésus, Maria ! Sais-tu ce qu'il fait, à présent ? Il est sur un bachot, avec ces hommes, et il les aide à fouiller le canal…

— Il me déplaît ! avait déclaré Anna une fois pour toutes.

En disant cela, elle avait le regard lourd, lourd de rancune, de pensées secrètes.

Joseph travaillait là-haut. Depuis quelque temps, il travaillait beaucoup trop et, quand il descendait pour les repas, il avait un teint de papier mâché, les yeux si fatigués que les paupières battaient sans cesse comme celles des oiseaux éblouis.

— Tu devrais aller prendre l'air…

— J'aurai tout le loisir de prendre l'air quand j'aurai passé ma thèse…

Il ressemblait à sa mère, toujours douloureux, toujours digne, résigné, avec l'air de proclamer à la manière de Job :

— Le Seigneur m'accable ; que Son saint nom soit béni !

Quand il descendit, ce soir-là, pour le dîner, il comprit qu'il se passait quelque chose au silence plus hermétique de sa mère, aux regards de sa sœur Anna, à l'entrain un peu forcé de son cousin Hans.

Hans, justement, disait :

— On a enfin repêché les vêtements. Ils ont été littéralement arrachés morceau par morceau…

Sa tante toussa, désigna Liesbeth du regard, ce que Hans ne comprit pas aussitôt. Et quand il comprit, ce fut pour noyer son sourire dans une moue.

Si bien qu'on ne parla pas de Sidonie. On ne parla de rien, en somme, sinon de la chaleur qui, si elle continuait, entraverait peut-être le trafic du canal, comme deux ans auparavant quand les eaux, pendant un mois, avaient été trop basses.

Dans l'attitude de tante Maria, lorsqu'on quitta la table, il y avait quelque chose d'indéfinissable, de compréhensible seulement pour les Krull, quelque chose qui disait :

— Ne vous éloignez pas… Laissez partir Hans… Il faut que nous causions…

Et Hans, qui avait des antennes, n'en était que plus enjoué, se décidait néanmoins à sortir en annonçant :

— Je vais jusqu'en ville et je reviens…

Maria Krull épluchait les pommes de terre, car elle ne pouvait pas rester inoccupée. On n'allumait pas les lampes. L'été, on aimait rester ainsi dans la pénombre jusqu'au moment où on n'y voyait plus rien. Si on ne s'installait pas sur le seuil, on laissait ouvertes la porte de la boutique et celle de la cuisine et on avait ainsi, comme dans un cadre, un tronçon de canal avec des arbres d'un vert sombre.

— Écoute, Joseph… Il faudra peut-être que tu lui parles… Non ! Reste un moment…

Car Joseph se disposait à monter dans sa chambre pour se jeter sur ses cahiers.

— Tout à l'heure, il est venu me trouver dans la boutique… Il ne paraissait pas gêné le moins du monde… Il m'a demandé si je n'avais pas un peu de monnaie…

Le vieux Krull, dans son fauteuil, nimbé de crépuscule et de la fumée ténue de sa pipe, tenait les paupières de telle manière qu'on ne pouvait savoir s'il avait les yeux ouverts ou fermés.

— Je croyais que c'était pour ne pas monter chercher son portefeuille… Je lui ai demandé combien il voulait… Alors il m'a dit :

» — Donnez-moi toujours cent francs…

Liesbeth sortit sans raison, car ce n'était pas l'heure de faire du piano et on ignora dans quel coin elle allait se terrer.

— Alors, continua Mme Krull, tandis que les pommes de terre tombant dans le seau scandaient son monologue, il m'a raconté qu'il n'avait pas pu sortir son argent d'Allemagne, que les douaniers étaient très stricts, qu'il aurait risqué la prison ou le camp de concentration… Qu'est-ce que tu en penses, Joseph ?

— Je ne sais pas…

Il restait debout, si long qu'il paraissait ne pas pouvoir passer par la porte.

— Il ne t'a pas dit combien de temps il compte rester avec nous ?

— Il ne m'en a pas parlé.

— Tu devrais le questionner adroitement… Il me fait l'effet d'être d'un tel sans-gêne ! Tu ne crois pas que c'est un pique-assiette, toi ?

Et le mot pique-assiette avait dans la bouche de Mme Krull un sens particulier où entrait la notion d'indécence, de mauvaise éducation et de malhonnêteté.

— Nous sommes déjà si mal vus !…

— Tu exagères, maman ! dit-il sans conviction.

— Est-ce que tu as déjà vu un voisin venir se servir chez nous ? Ils préfèrent aller à cinq cents mètres pour trouver une autre épicerie…

C'était très particulier. Elle ne pleurait pas. Elle ne pleurait jamais. Mais souvent, le soir, quand elle se laissait aller à ses pensées, elle prenait un ton monotone de lamentations et, comme on ne voyait pas ses yeux, on pouvait les croire humides.

— Tu devrais lui parler, je t'assure, Joseph !

— Non, maman. C'est toi qui dois lui parler...

Et Anna de grommeler :

— On dirait que vous avez tous peur de lui !

Plus un mot, dans le journal, sur Sidonie. Même dans le quartier, on n'en parlait guère, d'abord parce qu'on avait arrêté Potut et qu'il n'y avait plus de mystère, ensuite parce que tout le monde avait des enfants et qu'il vaut mieux ne pas aborder ces sujets-là devant eux.

Jusqu'au commissaire de police qui ne croyait pas à une affaire Sidonie !

On lui avait amené Potut qu'on avait déniché, ivre mort, dans une salle d'attente de la gare où il passait volontiers la nuit.

Le lendemain seulement, il avait fait amener l'homme dans son bureau et lui avait lancé au visage :

— Qu'est-ce que tu as fait, avant-hier ?

Le croupier déchu était un curieux mélange d'hébétude et de finesse ou plus exactement, s'il était le plus souvent hébété, à se balancer d'une jambe sur l'autre, on surprenait soudain des regards d'une telle acuité, d'une telle finesse qu'ils en devenaient gênants.

— Tu ne veux pas me dire ce que tu as fait ?

Alors on poussa devant lui une photographie du cadavre de Sidonie telle qu'elle avait été prise à la morgue, et ce n'était vraiment pas beau.

— Qui est-ce ?

L'amant de Pipi avait besoin de lunettes pour voir de près. Il en avait une paire, aux verres sales, dans sa poche, pêle-mêle avec des mégots et des bouts de papier, de ficelle, de n'importe quoi.

Quand il reconnut Sidonie, il laissa simplement tomber :

— Ma foi…

Puis il répéta quatre ou cinq fois :

— Ma foi… Ben, ma foi…

— Tu n'as pas honte, vieux cochon ? Et t'avais besoin de l'étrangler par-dessus le marché ?

Le commissaire fumait sa pipe. Il n'était pas pressé. Il se tournait de temps en temps vers son secrétaire pour lui adresser un clin d'œil.

— C'était quel soir ? questionnait cependant Potut.

— Dimanche… Ne fais pas celui qui ne sait pas…

— Et si je vous disais où j'étais dimanche soir ?

— Parbleu ! Je me doute que tu as un alibi…

— J'étais avec le Marseillais !

— Quel Marseillais ?

— Un type que je ne connais pas… Je l'avais vu une fois ou deux dans le quartier des Abbesses… C'est un homme instruit, avec qui on peut causer…

Petit à petit, Potut raconta son histoire. Ils s'étaient rencontrés sur un banc, le dimanche soir, le Marseillais et lui. Le Marseillais, qui était un clochard miteux, mangeait un morceau de pain que les habitants d'une roulotte venaient de lui donner.

— T'as pas soif ? lui avait demandé Potut.

— T'as de l'argent, toi ? avait répondu l'autre.

— Si la bourgeoise n'est pas à la maison, peut-être que j'en trouverai sous la paillasse…

C'était la foire. Ils avaient cheminé, clopin-clopant, jusqu'au canal et Potut avait fait rester son nouvel ami en arrière. Avec des ruses de gamin, il s'était approché de la péniche où Pipi dormait déjà et il était parvenu, tant elle avait le sommeil pesant, à prendre les trente-six francs qui restaient sous le matelas.

— Trois pièces de dix francs, une de cinq et une d'un ! précisait-il.

Alors, ils avaient bu un peu partout. Ils avaient marché le long des trottoirs, les jambes molles, les pieds traînants. Puis Potut avait échoué à la gare et il ne savait plus.

— On va bien voir si on le retrouve, ton Marseillais. Cela m'étonnerait fort…

— Je peux même vous dire de quoi nous avons parlé !

— Cela ne m'intéresse pas… On va toujours te conduire en prison…

Et deux fois en vingt-quatre heures Pipi fut arrêtée parce qu'elle buvait plus que jamais et que, quand elle était ivre, elle s'en prenait aux agents, les injuriant, leur reprochant d'avoir laissé violer sa fille.

Les nuits étaient presque aussi chaudes que les journées et toutes les fenêtres du quartier restaient ouvertes, de sorte qu'en passant dans les rues on avait l'impression de sentir les gens dans les lits, se tournant et se retournant, moites, mal à l'aise, assaillis par les moustiques.

Ce fut le mardi, dans la matinée, que Hans, qui tournait en rond dans la maison, s'assit soudain à califourchon en face de sa cousine Anna.

Liesbeth était sortie pour aller prendre sa leçon de piano. Depuis deux jours, Hans n'était pas parvenu à se trouver seul à seul avec elle et, quand elle était dans sa chambre, elle en fermait la porte à clef.

Parfois, Hans poussait bien la porte de son cousin, qu'il trouvait toujours farouchement enfoncé dans son travail. Joseph levait les yeux avec ennui, reprenait sa plume et évitait avec soin toute conversation.

— On devrait lui dire de ne pas déranger Joseph tout le temps ! avait soupiré tante Maria lors d'une de ses apparitions dans la cuisine.

« On devrait lui dire… »

Cela devenait une rengaine. Il y avait des tas de choses à dire à Hans, mais personne ne les lui disait et on se contentait d'en parler derrière son dos.

C'était agaçant de le sentir dans la maison, désœuvré, furetant partout, s'asseyant ici ou là, fredonnant des chansons allemandes, quand il n'entrait pas dans la boutique, même s'il y avait des clientes.

— J'essaie pourtant de lui faire comprendre… disait tante Maria.

Il ne comprenait pas, ou ne voulait pas comprendre, se montrait toujours aussi enjoué.

— Alors, cousine Anna, toujours lugubre ?

Ce matin-là, elle frottait le poêle, les cheveux serrés

par un mouchoir, le visage maculé, l'humeur d'autant plus agressive.

— Je ne suis pas lugubre !

— Vous ne me direz pas que vous êtes gaie ?

— Vous trouvez la vie gaie, vous ?

— Parbleu !

— On voit bien que vous n'habitez pas la maison depuis que vous êtes né !

— Justement ! Je n'ai jamais connu de maison plus séduisante.

Elle lui lança un bref regard, croyant qu'il persiflait.

Mais non ! Ou alors, il cachait son jeu à merveille.

— Il fait doux... Tout est doux... Et tiède !... Et tellement tranquille !...

Mme Krull entra, soupira en voyant Hans, ouvrit la bouche mais la referma sans avoir prononcé un mot.

Il n'y avait que l'ouvrier, dans l'atelier, pour rire aux plaisanteries de Hans et pour écouter les histoires que l'Allemand venait lui raconter en épluchant des brins d'osier.

Pas de Sidonie... Pas d'affaire Sidonie... Mais bien plutôt, dans la maison, une affaire Hans...

— S'il me demande encore de l'argent...

— J'espère que nous n'allons pas l'entretenir !

— Il faudrait que quelqu'un lui dise...

Personne ! Et le plus crispant c'est qu'on avait l'impression qu'il le savait, qu'il devinait tous ces petits mystères dont on l'entourait.

Le nez de Liesbeth n'avait jamais été si pointu. Elle mangeait à peine. Quand on lui en faisait la remarque, elle prétendait que c'était la chaleur et Hans la regardait avec des yeux pétillants de malice.

Jusqu'au mercredi soir… Tout le monde montait se coucher et le vieux Krull, d'un geste de vitrail, dessinait, du pouce, une petite croix sur le front de chacun.

En s'engageant dans l'escalier, Hans dit à mi-voix à sa cousine :

— Tout à l'heure, dans ma chambre…

Il en laissa la fenêtre ouverte, s'y accouda et fuma une cigarette, entendant les autres se déshabiller dans toutes les chambres de la maison.

Joseph ne dormait pas, n'était pas couché, car en se penchant on voyait un halo lumineux à sa fenêtre. Il n'y avait personne sur le quai et l'immobilité des péniches, dans l'eau noire et comme éternelle, était presque dramatique.

Soudain Hans se retourna. Il n'avait pas entendu la porte s'ouvrir ni se fermer ; il n'avait perçu aucun bruit de pas, mais il fut à peine étonné de voir la silhouette de Liesbeth, toute droite, derrière lui.

Elle avait, dans son pâle visage que rien n'éclairait, de grands yeux de fièvre. Elle le regardait et un instant il eut l'impression de se trouver en face d'une somnambule.

— Venez vous asseoir, Liesbeth, souffla-t-il en l'entraînant au bord du lit.

Elle restait raide, mais ne résistait pas.

— Je suis bien content que vous soyez venue… Je me demandais si vous n'étiez pas fâchée…

C'était le dur moment à passer. Il fallait réchauffer le corps glacé de la cousine ; il fallait chasser de sa petite tête toutes les pensées qu'elle y avait entassées pendant plusieurs jours.

— Venez tout près de moi…

— Écoutez, Hans, je suis venue pour vous parler sérieusement…

— Chut !

D'abord, on pouvait les entendre. Ensuite, il n'avait aucune envie de causer sérieusement.

— Je ne sais pas ce que vous pensez mais si, maintenant, vous me laissiez seule…

Deux choses se passèrent en même temps, sur des plans différents et Hans parvint à rester aussi attentif à l'une qu'à l'autre.

D'abord Liesbeth se cramponnait à lui avec une vigueur incroyable et éclatait en sanglots tels qu'on pouvait croire que toute la maisonnée allait les percevoir.

Cela ne l'inquiétait pas. C'était très bien. Il n'avait plus qu'à la laisser pleurer en la serrant contre lui et en la caressant doucement.

Mais au même moment, il y avait à l'étage au-dessous un craquement caractéristique, celui de la porte qu'on ouvrait avec précaution. Et Hans savait maintenant ce que cela voulait dire : Joseph, dont c'était la chambre, avait entendu du bruit. Il devait déjà monter l'escalier sans bruit, dans l'obscurité. Dans quelques instants, il aurait l'oreille collée à la porte, ou l'œil à la serrure.

— Vous êtes une gentille petite fille, ma pauvre Liesbeth… Je vous aime beaucoup…

Il lui parlait bas, dans l'oreille, sachant que, si elle

continuait à pleurer, elle entendait tout ce qu'il disait et attendait la suite.

— … beaucoup, beaucoup… Mais il faut être sage… Il ne faut pas pleurer comme ça… Il faut…

C'était encore trop tôt. Il se contentait de lui caresser le front et les joues, puis de mettre sa joue à lui sur celle de la jeune fille.

Il y eut encore une crise, quelques instants plus tard, un geste violent par lequel Liesbeth s'accrocha à lui, plus fort que précédemment, en disant :

— Si vous partez sans moi, je me tuerai… Je ne peux plus vivre dans cette maison…

— Alors, nous partirons ensemble…

Il ne prenait rien au tragique. Il semblait bercer un enfant fiévreux, ce qui n'empêchait pas ses mains de caresser maintenant le corps de sa cousine.

— Quand ?

— Un jour… Bientôt…

Joseph était là, de l'autre côté de la porte ! Hans ne cessait pas d'y penser. Et il se disait :

— Pourvu qu'il reste !

Parce qu'il fallait encore un peu de temps, une demi-heure ou une heure.

La chambre était dans l'ombre et le ciel semblait pénétrer par la fenêtre grande ouverte, avec, au loin, des voix de grenouilles et un train qui haletait dans une gare sans se décider à partir.

— Chut !… Plus un mot, petite cousine…

C'était lui qui parlait, qui babillait, qui lui disait n'importe quoi dans l'oreille et il fallut un peu plus d'une demi-heure, moins d'une heure.

Liesbeth devint toute raide, car cela lui faisait encore peur. Ses narines se pinçaient.

— Chut, ma petite Liesbeth… Tous les deux, comme ça…

Il en arrivait à entendre presque la respiration de Joseph sur le palier et ce qu'il entendit nettement ce fut tante Maria qui se retournait dans son lit et qui poussait un soupir de grosse femme mal couchée.

— Tu ne pleureras plus, Liesbeth ? Jamais plus ?

Elle ne savait pas. Elle le regardait avec autant d'adoration que d'angoisse. De temps en temps, sa lèvre inférieure se gonflait encore et si elle avait pleuré elle n'aurait pas pu dire si c'eût été de détresse ou de joie.

Lui souriait, d'un sourire compliqué. Et comme ce sourire la surprenait, l'inquiétait à nouveau, il expliquait d'une voix légère :

— Je pense à ta sœur Anna faisant ce que nous faisons… Tu ne crois pas que ce serait drôle, Anna dans cette position ?

Elle essaya de sourire aussi. Ses yeux s'embuèrent. Elle ne comprenait pas. Elle ne savait plus. Elle avait honte de son ventre nu que le halo de la nuit rendait blême. Ses mains se tendaient pour se raccrocher encore à Hans et il lui semblait qu'elle descendait dans un gouffre de joie douloureuse et de désespoir.

— Il faudra voir ça une fois !

— Voir quoi ?

— Ta sœur… Chut !… Si tu pleures…

Et les yeux de Hans, à ces moments-là, devenaient si tendres et si suppliants, si pleins de gaieté et de jeunesse que Liesbeth haletait encore deux ou trois fois, s'apaisait, reprenait avec un pâle sourire sa respiration régulière.

Personne ne s'inquiéta seulement de savoir où et quand Sidonie avait été enterrée. Pas même sa mère !

Des enfants endimanchés défilèrent avec des prix, encadrés de parents encore plus raides qu'eux. Liesbeth se mit à jouer du piano du matin au soir et recommença à manger. Quant à Joseph, désormais, il prit l'habitude de fermer sa porte à clef quand il travaillait et on ne le vit plus adresser la parole à son cousin.

— Tu ne crois pas qu'il sent que tu lui fais la tête ?

— Cela m'est égal !

— Qu'est-ce que tu lui reproches ?

— Rien !

— C'est quand même le neveu de ton père…

Anna devenait sournoise et observait sa sœur avec un peu trop d'attention.

Quant à Potut, on le laissa en prison jusqu'au samedi matin sans même l'interroger.

De temps en temps, le commissaire de police du quartier Saint-Léonard recevait un coup de téléphone du juge d'instruction qui s'apprêtait à partir en vacances.

— Vous ne l'avez pas encore déniché ?

Ce ne fut que le samedi matin, au marché, qu'on aperçut le Marseillais tranquillement assis sur un banc et occupé à manger une saucisse chaude. On le mena au commissariat. On lui demanda ce qu'il avait fait depuis une semaine. Avec la plus grande quiétude, il annonça qu'il était allé à la campagne.

Il partait, comme ça, puis revenait. Il ne comprenait pas ce que la police lui voulait, étant donné qu'il était en règle.

— Et Potut?

— Quoi, Potut?

On se croyait tranquille. On tenait un coupable pratique. Et voilà que le Marseillais, malgré les ruses du commissaire, confirmait tout ce que le croupier avait dit.

— … Même qu'on pourra vous le répéter chez *Léonie* où j'ai cassé un verre et où on nous a mis à la porte…

C'était un petit bar derrière la cathédrale. Léonie confirma, elle aussi, les dires du Marseillais et à onze heures il n'y eut plus qu'à faire comparaître Potut dans le cabinet du juge.

— Signez ça!

— Qu'est-ce que c'est? J'ai laissé mes lunettes là-bas…

— Vos déclarations…

— Qu'est-ce qu'on va encore me faire?

— Vous êtes libre!

Fini! On le mettait dehors, en plein soleil, où il était soudain dérouté. On ne lui parlait pas du Marseillais et, comme on avait relâché celui-ci une heure plus tôt, les deux hommes n'eurent pas la bonne fortune de se rencontrer.

Il faisait de plus en plus chaud. Potut parlait tout seul en rasant les maisons et regardait avec étonnement une bonne vieille qui, en passant, lui glissait deux sous dans la main.

Puisqu'on ne parlait plus de Sidonie, il était inutile d'apprendre aux rédacteurs du journal qu'on avait dû relâcher le seul suspect, si bien que les gens du quartier Saint-Léonard, là-bas au bout de la ville, regardèrent avec étonnement Potut qui errait comme par le passé autour de l'écluse.

Certains prétendirent qu'il y eut une scène entre lui et Pipi et que les deux amants se battirent en échangeant des injures.

Hans seul aurait pu dire la vérité, car il n'avait cessé de rôder autour de la péniche et ce fut le même soir qu'il déclencha l'affaire Sidonie, peut-être sans le vouloir, peut-être par vice, alors qu'il se trouvait sur le champ de foire.

C'était l'avant-dernier jour des fêtes foraines. On devait tirer un feu d'artifice. Hans n'avait pas demandé d'argent à sa tante Maria mais à Liesbeth qui lui avait donné les quatre-vingts francs qu'elle avait dans son sac.

— Cette nuit… lui avait-il promis.

Elle y viendrait ! Elle l'attendrait aussi tard qu'il le faudrait ! Et, pour une demi-heure, pour un quart d'heure de tendresse, d'immobilité dans ses bras, de balbutiements, elle accepterait ensuite toutes les fantaisies qu'il imaginerait.

Elle n'osait même plus protester quand il lui disait avec un inquiétant retroussis des lèvres :

— Tu verras !… Un de ces jours, on s'arrangera pour qu'Anna…

C'est à peine si, lorsqu'elle était toute seule, Liesbeth osait encore toucher son propre corps et si elle n'en avait pas honte devant les autres. Mais le soir, pour le quart d'heure, pour la demi-heure, fenêtre ouverte sur la nuit...

Avec les quatre-vingts francs en poche, il se faufilait dans la foule, autour des loges foraines, quand il aperçut un drôle de petit bout de femme, une sorte de monstre, une gamine de quinze ans déjà formée comme une femme, basse de reins, cambrée, la poitrine provocante.

Il ne savait pas son nom mais il reconnaissait la compagne de Sidonie, le samedi précédent. Faute de son amie morte, elle avait, avec elle, une fillette plus jeune et grêle et toutes deux, parmi les hommes, riaient et crânaient.

— Bonsoir, mesdemoiselles, prononça Hans, aussi cérémonieux qu'ironique.

— Monsieur?

Elles se prenaient au jeu. Elles croyaient que c'était vrai, qu'on allait leur faire la cour et la plus petite pinçait le bras de sa compagne.

— Voulez-vous me permettre de vous offrir un verre?

— Je ne sais pas si...

Et elles tremblaient de joie d'être accostées comme de vraies femmes.

— Si cela vous est égal, je préfère aller chez Victor…

Ils venaient de se dégager de la foule, d'atteindre, à un coin de rue, la terrasse banale d'un café et Hans avait voulu s'asseoir. La gamine-femme avait désigné un peu plus loin, dans la rue étroite et mal pavée, un globe lumineux sous lequel on voyait la silhouette immobile d'un agent.

C'était un musette, *Chez Victor*, et la compagne de Hans qui croyait que celui-ci hésitait s'empressait d'affirmer :

— Ce n'est pas plus cher qu'ailleurs !

Elle était ahurissante d'assurance, d'aplomb. Comme Sidonie, elle jouait un rôle ou plutôt elle rêvait éveillée, mais ce n'était ni le même rôle ni le même rêve.

Sidonie se voyait couverte de dentelles et de soies, plus volontiers encore d'une cape d'hermine, le teint diaphane, le regard nostalgique et lointain et elle ne devait pas faire un grand effort, quand la foule de la foire se retournait sur son passage, pour imaginer de jeunes seigneurs en habit.

L'autre, la courtaude, aux seins gonflés et aux fesses qui inspiraient des claques, avait placé son idéal quelques degrés en dessous dans la hiérarchie de la séduction.

Elle jouait les bonnes filles, les bonnes filles peuple, roublardes et cyniques, celles qui s'attendrissent mais à qui on ne la fait pas.

Le bal était éclairé en violet, ce qui décomposait le visage des femmes. On ne voyait qu'yeux cernés, joues bleuâtres et lèvres blanches et la compagne de Hans subissait comme les autres cette transformation.

— Bonjour, Victor ! lançait-elle en passant devant le comptoir.

Victor faillit bien ne pas s'apercevoir de son passage, s'en avisa après, laissa tomber comme une aumône :

— Bonsoir, Germaine...

Et l'autre, la toute petite, se faufilait peureusement dans cette atmosphère grouillante de notes d'accordéon, lançant parfois, vers Hans, un regard de bas en haut.

— On s'installe ici ?

— Si vous le désirez, mademoiselle Germaine...

— Comment savez-vous mon prénom ?

Il venait de l'entendre, ce n'était pas malin ! Elle le savait. Cela faisait bien quand même.

— Qu'est-ce que vous prenez ?

— Une limonade menthée... Avec beaucoup de menthe... Et toi, Ninie ?

— Comme toi !

Ninie était impressionnée. Ainsi que cela arrive aux enfants, elle ne pouvait détacher son regard de la personne de Hans et, les lèvres entrouvertes, il lui venait peu à peu une expression médusée.

— Vous êtes étranger, n'est-ce pas ? minaudait Germaine en se mettant de la poudre, ce qui était inutile dans cet éclairage.

Et lui, simple ou cynique :

— Allemand…

Ninie reçut un petit choc. Ses prunelles s'écarquillèrent un peu plus. Quant à l'autre, la boulotte, elle dit sentencieusement, en personne qui s'y connaît :

— Ah !… Comme les Krull !…

Les couples dansaient, visages sans expression, avec de petits coups d'œil aux glaces des murs. Les jambes de Ninie, assise sur la banquette, n'arrivaient pas jusqu'à terre et elle suçait la paille qu'on lui avait donnée. Peut-être Hans lui faisait-il un tout petit peu peur ?

Il n'était comme personne qu'elle connaissait. En rien ! D'abord, alors que ce n'était pas « quelqu'un de la rue », il se promenait sans chapeau, la chemise ouverte et ce n'était pas non plus le modèle de chemise que les hommes portent à la campagne ou à la mer.

Ses souliers carrés étaient presque des pantoufles, si souples qu'on ne l'entendait pas marcher.

Ce n'était pas un étudiant. Ce n'était pas davantage un ouvrier, ni un garçon semblable à ceux qui portaient exprès leur casquette de travers.

— Vous dansez ? proposa Germaine à un moment où elle ne trouvait rien à dire.

Il était deux fois grand comme elle. Il devait se pencher. On s'attendait à le voir la soulever et malgré cela il n'était pas ridicule, pas gêné non plus, cependant que le regard de Ninie suivait toujours le couple à travers la salle.

— Vous dansez bien, mais vous ne dansez pas comme ici, remarqua Germaine en reprenant sa place.

— Vous venez souvent chez Victor ?

— Le dimanche après-midi… Quelquefois aussi le dimanche soir…

On les regardait. Tout le monde avait repéré Hans et il y avait un peu de mépris dans les regards, à cause des deux petites filles. Lui n'en était pas affecté le moins du monde.

— Vous veniez avec Sidonie ?

Elle s'étonna, marqua un rien de méfiance.

— Vous connaissiez Sidonie ?

— J'en ai entendu parler…

— Par qui ?

— Par des amis…

— Quels amis ? Je connaissais tous les camarades de Sidonie… Nous ne nous quittions pour ainsi dire jamais…

Elle savait déjà soupirer avec solennité pour marquer sa douleur, touchait le coin de ses yeux avec son mouchoir. Et elle disait, du ton des enfants précoces qui imitent les grandes personnes :

— C'est affreux !…

— Elle avait beaucoup d'amoureux ?

La petite Ninie toucha le bras de son amie et celle-ci, sans se préoccuper de la vraisemblance — étant donné que Hans était Allemand —, de riposter :

— Vous ne seriez pas des fois de la police ?

Les javas succédaient aux valses avec les mêmes silhouettes, les mêmes visages de cire qui glissaient en rond dans la lumière irréelle.

— Je peux vous jurer que je ne suis pas de la police. Mais j'étais près du canal quand on a retiré le corps…

Germaine frissonna. Ninie regarda autour d'elle pour s'assurer qu'elle ne courait aucun danger puis, pour se rassurer davantage, but une grande gorgée de limonade menthée.

— J'ai pensé que, dimanche dernier, quelqu'un vous avait peut-être suivies toutes les deux…

Il était trop tard pour rattraper la phrase malheureuse qui allait tout déclencher. Hans sentit nettement chez la petite boulotte un choc à peine perceptible.

D'une seconde à l'autre, elle cessa d'être une gamine toute fière de se pavaner dans un musette avec un homme. Une idée l'avait frappée. Elle ne regardait plus son compagnon en face.

— Pourquoi me posez-vous toutes ces questions ? riposta-t-elle sans jouer de rôle, sans écouter le son de sa voix.

Et Ninie, lui touchant à nouveau le bras, de murmurer :

— Partons !

— C'est pour ça, n'est-ce pas, que vous nous avez accostées dans la rue ?

Des pensées tumultueuses l'assaillaient. Elle respirait fort, la poitrine agitée.

— Il faut que nous nous en allions…

— Vous êtes si pressées, tout à coup ? raillait Hans.

C'est alors qu'elle prononça la petite phrase :

— Vous êtes de la famille Krull, je parie ! J'aurais dû remarquer tout de suite que vous ressemblez au docteur…

Car les gens du quartier appelaient déjà Joseph le docteur. Là-dessus, les deux gamines s'enfuyaient littéralement après avoir balbutié chacune à son tour :

— Au revoir, monsieur…

Quand Hans arriva au haut des marches, dans la maison endormie, il s'arrêta un instant, n'entendit rien, toucha la porte de Liesbeth. Et la porte s'ouvrit d'elle-même sur l'obscurité de la chambre ; Liesbeth était là, en chemise, pieds nus, à attendre debout près du chambranle.

Alors il entra et alla s'accouder à la fenêtre où sa cousine vint le rejoindre. La lune se levait et les éclairait tous les deux, donnant plus de mystère à la présence de ces deux êtres immobiles dans la nuit, sertis dans une fenêtre comme dans un cadre suspendu au flanc de la maison.

Liesbeth avait glissé ses doigts glacés dans la main de Hans et elle attendait la portion de tendresse qu'il voudrait bien lui donner, sans oser le regarder par crainte de découvrir de l'ennui ou de la lassitude.

Or, ce soir-là, Hans ne repoussait pas la main froide et ce fut lui qui entoura de son bras les épaules de Liesbeth, sans cesser de contempler le canal au-delà du chantier de construction, là où le feuillage des peupliers amorçait une longue perspective argentée.

— Tu trouves aussi que je ressemble à Joseph ? questionna-t-il soudain dans un souffle.

— Qui a dit cela ?

— Peu importe ! C'est ton avis ?

— Pas du tout ! Vous êtes à l'opposé l'un de l'autre…

Et il se contenta de déclarer :

— C'est bien !

Il caressait un sein, sans y penser, à travers le mince tissu de la chemise et elle fut longtemps avant d'oser soupirer :

— Tu me fais mal…

Elle était à la fois heureuse et inquiète. Il n'avait jamais été comme ce soir-là, rêveur, eût-on dit, presque tendre. Après un long silence, elle risqua en se serrant davantage contre lui :

— Quand partons-nous ?

Il ne savait pas si Joseph était derrière la porte ou non. Il n'avait pas prêté attention aux petits craquements révélateurs. Et maintenant il regardait sa cousine, son nez pointu, ses yeux toujours angoissés quand ils étaient fixés sur lui.

— Viens…

Il se coucha sur le lit, tout habillé, la laissa se coucher près de lui, se blottir contre son flanc. Elle ignorait s'il avait les yeux ouverts ou fermés, mais elle entendait sa respiration régulière et jusqu'au toc-toc de son cœur tout contre son oreille.

Elle évitait le moindre mouvement, se retenait presque de respirer tant elle avait peur de troubler un tant soit peu cet état de choses et enfin elle perçut un souffle plus long, plus profond, sentit une détente des membres de l'homme.

Il dormait, sur son lit à elle, et elle ne bougeait toujours pas, elle épiait les battements du cœur, tenait à deux mains une épaule vêtue de laine.

Quand elle ouvrit les yeux, soudain, il faisait jour. Elle se leva d'un bond, émerveillée que Hans fût encore là, à dormir, une fine buée sur le front et au-dessus de la lèvre.

Il était très tôt matin. Les péniches, sur le canal, ne s'étaient pas encore mises en mouvement. Un charretier conduisait son cheval le long du quai, avec le harnachement et les traits, mais sans le camion.

— Hans !…

Elle le toucha, presque craintivement. Quand il ouvrit les yeux, elle était tremblante. Il leva son poignet pour regarder l'heure à sa montre, bâilla, sortit une jambe du lit, puis l'autre.

Il faillit regagner sa chambre sans l'embrasser. Il y pensa alors qu'il était déjà près de la porte et revint sur ses pas.

— À tout à l'heure, murmura-t-il, le regard ailleurs.

Ce matin-là, alors que toute la famille prenait le petit déjeuner dans la cuisine, il avait le front plus lourd de pensées en regardant Joseph qui n'était pas encore débarbouillé.

À part qu'ils étaient très grands l'un comme l'autre, il n'existait pas la moindre ressemblance physique entre eux : ni l'ovale du visage, ni le teint, ni les yeux…

Et pourtant cette gamine avait décelé un air de famille et Hans se rendait compte qu'elle avait raison !

Son père, lui aussi, ressemblait au vieux Cornélius, la barbe en moins, mais ils étaient frères.

Liesbeth, ce jour-là, donnait l'impression d'une jeune fille saine et joyeuse tandis que Joseph, qui ne regardait personne, mangeait vite, sans goût, montait dans sa chambre aussitôt après.

Il y eut une heure vide : Hans alla chercher des cigarettes à trois cents mètres de la maison et s'arrêta longtemps à regarder manœuvrer l'écluse. Pendant ce temps, entre deux clientes, tante Maria était venue dire à Anna :

— Tu ne crois pas que Liesbeth risque de devenir amoureuse, toi ?

— De qui ?

— De lui !

— J'espère pour elle que non !

— Il y a des moments où il me fait peur… Il a une façon de nous regarder les uns après les autres…

Elle fut interrompue par le timbre de la boutique et elle se trouva en face de Pipi.

— Donne-moi quelque chose à boire, ma pauvre vieille ! soupira la mère de Sidonie qui était dans une période d'attendrissement.

Car c'était tout l'un ou tout l'autre. Tantôt elle se montrait agressive et ordurière et tantôt elle se rac- crochait au premier passant venu pour pleurer dans son sein. Dans ces crises-là, elle oubliait de détester Maria Krull et il lui arrivait de l'appeler « ma pauvre vieille ».

— Tu ferais mieux de ne pas tant boire, Pipi ! Tu oublies que tu es en deuil…

— Tu crois que je l'oublie ? Tu crois que je l'ou- blie ? Si tu savais…

Tante Maria tourna la tête vers la porte de la

cuisine qui s'était ouverte et sourcilla en voyant Hans dans l'encadrement.

— Vous avez besoin de quelque chose, Hans ?

— Non, tante.

Il feignait de ne pas comprendre, entrait dans la boutique, désœuvré, comme quelqu'un qui compte y rester.

— Tu comprends, Maria, toi, tu es tombée sur un bon mari, mais le mien était soûl tous les soirs et me battait tellement que je ne faisais que des fausses couches… Alors…

La tante était gênée, à cause de la présence de son neveu. Celui-ci sentait que, sans lui, elle s'attendrirait aussi, ferait de la morale à Pipi. Il sentait plus nettement une chose qu'il avait déjà devinée : que, entre les deux femmes, il existait un sentiment complexe, un mélange d'attirance et de haine, un besoin, à certains moments, de se mesurer l'une à l'autre.

Est-ce que tante Maria, dans Pipi, ne voyait pas en quelque sorte sa caricature, ce qu'elle aurait pu devenir si elle n'avait été résolument vertueuse ?

Et Pipi, si elle revenait sans cesse chez les Krull, tantôt larmoyante, tantôt l'injure aux lèvres, n'était-elle pas incapable de se passer de l'épicière ?

Il ouvrit la porte au *Bleu Reckitt* et resta debout sur le seuil, face au quai, tournant le dos aux deux commères.

— Elles se ressemblent comme Joseph et moi nous ressemblons ! pensait-il.

Ce n'était pas encore très net dans son esprit, mais des idées se dessinaient, de nouvelles relations de cause à effet, des liens subtils entre les êtres.

— Qu'est-ce que tu aurais fait, si ton mari t'avait battue ? questionnait Pipi en buvant un second verre.

— J'aurais prié ! répondait tante Maria avec un coup d'œil d'impatience à cette silhouette d'homme immobile sur le seuil.

Il n'était plus possible de supporter Hans dans ces conditions ! Pas plus que le chat noir…

Une histoire dont on ne parlait jamais, car personne n'en était fier. Et depuis lors on n'avait plus voulu de chat dans la maison, malgré les dégâts qu'y faisaient les souris.

On l'appelait, ce chat-là, Barbu. On l'avait eu tout petit d'un marinier barbu et ce nom lui était resté ; un chat noir quelconque, un mâle qu'on avait fait couper, à cause de l'odeur.

Vers la deuxième année, son poil avait commencé à tomber et on avait en vain essayé de plusieurs pommades : Barbu était atteint d'une maladie de la peau et se couvrait de croûtes.

— Il faudra le noyer… disait-on chaque jour.

Et un matin l'ouvrier fut chargé de l'exécution. On lui donna un vieux sac. On le vit marcher le long du canal, jusque bien au-delà du chantier de construction.

On n'en parla plus jusqu'au soir, et, juste au moment où on se mettait à table, un chat noir poussa la porte entrouverte et, après s'être frotté à toutes les jambes, s'assit à sa place habituelle, dans le panier qu'on n'avait pas pensé à enlever.

C'était Barbu, Barbu qui, dès lors, regarda les êtres de la maison avec des yeux étranges qui devaient contenir un reproche, Barbu que personne n'osait plus caresser, tant chacun se sentait coupable.

Est-ce qu'un miracle ne s'était pas produit ? En quinze jours, sa maladie de peau s'était guérie, mais il y avait toujours son regard, sa présence implacable, son air de juger chacun…

Un mois, deux mois on le supporta. On n'osait pas recommencer le coup du sac. On avait honte de faire appel à la fourrière pour un chat.

Et c'est Joseph, qui avait quinze ans à l'époque, qui se décida, dans la cour, à tuer la bête d'un coup de carabine à bout portant.

Hans provoquait le même genre de malaise. Il roulait dans la maison des pensées mystérieuses et, quand il regardait les gens, on sentait qu'il les jugeait à sa manière.

Tante Maria était gênée qu'il la surprît ainsi en conversation familière avec une ivrognesse, une femme qui faisait ses besoins sur les trottoirs et qui passait la nuit au poste au moins une fois par semaine.

Devinait-elle que Hans les comparait comme si elles eussent été interchangeables, comme si, par exemple, les circonstances étant différentes, tante Maria eût pu devenir une Pipi et réciproquement ?

Joseph, là-haut, terminait sa thèse, à petits coups, d'une toute fine écriture régulière. Liesbeth commençait avec une fougue joyeuse une étude de Chopin.

Pipi s'en allait. Tante Maria toussotait, osait enfin :

— Hans !

Il fallait lui parler ! Tant pis !

— Écoutez, Hans… Vous ne devriez pas venir tout le temps au magasin… On reconnaît trop facilement que vous êtes étranger… Déjà nous avons eu tellement d'ennuis, nous qui sommes en France pour ainsi dire depuis toujours…

— Bien, tante.

Il souriait d'un sourire d'autant plus déroutant qu'en regardant sa tante il essayait de l'imaginer faisant pipi au bord du trottoir.

En même temps, il pensait :

— Je parie qu'il y a des moments où elle envie la vieille ivrognesse !

Et, à haute voix :

— Dans ce cas, j'irai passer un moment près d'Anna. Cela me perfectionnera en français…

Il savait qu'Anna, à son approche, se fût volontiers signée comme à la vue d'un diable, à cause de la tentation, elle aussi !

— Vous êtes en beauté, ce matin, cousine Anna…

Elle avait chaud, car elle faisait des confitures et le fourneau marchait à tout rompre.

— Vous savez que je n'aime pas que vous plaisantiez…

Pourquoi était-ce une mauvaise matinée, sauf pour Liesbeth qui n'en revenait pas encore d'avoir dormi avec Hans ?

Elle était à part, dans la maison. Elle faisait son solo vibrant qui pénétrait toute la maison sans trouver d'écho dans les cœurs.

Peut-être de l'orage ? Il n'y avait pourtant qu'un tout petit nuage blanc dans le ciel.

Hans taquinait Anna et s'amusait à la faire rougir, mais sans entrain, du bout des dents, parce qu'en réalité il ne savait où se mettre et pensait à trop de choses.

Et cependant personne ne pouvait se douter de ce qui se préparait, car les voies du hasard étaient par trop compliquées.

Même à la seconde visite de Pipi, qui venait chercher des commissions pour une péniche à moteur :

— Si vous saviez le coup que ça m'a fait de le retrouver à sa place dans la péniche !... On ne m'avait pas prévenue... Il ne m'en voulait pas... Ce n'est pas un homme à avoir des rancunes... Il m'a seulement dit comme ça...

C'est par Ninie que cela commença. Elle allait encore à l'école. Les vacances avaient commencé l'avant-veille mais les élèves pauvres qui désiraient faire un séjour gratuit à la mer devaient se présenter à l'école ce matin-là avec un certificat d'indigence pour s'inscrire.

Ninie, qui n'avait pas digéré sa peur de la veille, dit à une petite amie :

— Je parie que Sidonie a été tuée par un étranger...

— Pourquoi est-ce que ce serait un étranger ?

— Parce que j'en connais dans le quartier et que hier, si nous nous étions laissé faire, Germaine et moi...

Le juge d'instruction croyait si peu à l'affaire qu'il était parti en vacances malgré tout. Il est vrai qu'il possédait une petite villa à douze kilomètres de la ville et que le commissaire était chargé de lui téléphoner s'il y avait du nouveau.

— Si tu sais quelque chose, tu dois le dire…

— Pourquoi est-ce que je le dirais ?

— Parce que tu dois !

— Si j'avais su, je ne t'aurais rien raconté…

Les deux gamines se disputèrent, dans le rang. L'institutrice intervint.

— Qu'est-ce que vous avez, toutes les deux ?

— C'est elle, mademoiselle ! Elle ne veut pas dire qu'elle connaît l'assassin de Sidonie…

— Tu connais l'assassin, toi ?

— Non, mademoiselle…

— Alors ?…

Mais l'autre d'insister :

— Elle m'a avoué qu'hier soir un étranger a voulu…

— Ce n'est pas vrai !

— Je jure qu'elle me l'a raconté…

Et ainsi, de fil en aiguille, parce que la directrice, qui prenait les inscriptions, s'était dérangée à son tour, Ninie se trouva dans le bureau de celle-ci, roide et fort embarrassée.

— Qu'est-ce que tu as dit à ta petite amie ? Ne mens pas ! Sinon, tu n'iras pas à la mer…

— Je lui ai dit que c'était sûrement un étranger qui avait fait le coup.

— Pourquoi ?

— Parce que hier soir, avec Germaine…

— Qui est Germaine ?

— Une amie qui fait les courses pour le magasin de chaussures où travaillait Sidonie…

Le bureau sentait encore l'école.

— Où étais-tu avec Germaine ?

— Dans un bal…

Elle avait payé d'audace mais son courage ne tint pas davantage et elle éclata en sanglots.

Un peu plus tard, la directrice pénétrait avec Ninie au commissariat du quartier Saint-Léonard. À deux heures, un policier en uniforme se présenta chez le marchand de chaussures et demanda une certaine Germaine.

— Je n'ai rien fait ! protesta celle-ci tandis qu'on l'emmenait.

Le commissaire était ennuyé, avec les deux gamines dans son bureau.

— Qu'est-ce qu'il vous a demandé ?

— Si, dimanche soir, on n'avait remarqué personne qui suivait Sidonie… Il la connaissait sûrement…

Au corps de garde du commissariat, les policiers étaient en manches de chemise, comme Joseph Krull dans sa chambre.

À quatre heures de l'après-midi, le ciel commença à se couvrir, mais il en avait été ainsi les jours précédents sans que cela se traduisît par l'orage attendu. Un agent cycliste descendit de machine devant chez Krull, entra dans la boutique.

— Vous avez ici un étranger ?

Tante Maria s'affola, parce qu'elle pensa tout de suite à des papiers pas en règle et à des amendes.

— Nous avons le neveu de mon mari qui…

— Il est allemand, n'est-ce pas ? Je voudrais lui parler…

Alors elle traversa la cuisine qui était vide. Au bas de l'escalier, elle cria :

— Hans !… Hans !… quelqu'un vous demande…

La vérité, c'est que Hans continuait à taquiner Anna qui faisait les chambres du premier.

— Je descends, tante…

Et l'agent :

— On vous attend au commissariat. Prenez vos papiers avec vous. Suivez-moi…

Quelques gouttes d'eau tombèrent alors qu'ils tournaient l'angle du quai et firent de larges cercles sur les pavés poreux.

Dans le bureau du commissaire, Hans aperçut du premier coup d'œil Germaine et Ninie qui essayaient de faire bonne contenance mais qui n'osaient pas le regarder en face.

— C'est bien lui ?

Elles se donnèrent des coups de coude pour s'encourager. Germaine se raidit.

— Oui, monsieur le commissaire… Et je jure qu'il m'a tout le temps parlé de Sidonie…

— Vous avez votre passeport ?

Hans le tendit.

— Comment se fait-il qu'il ne porte pas le visa allemand ni le timbre de la frontière ?

— Parce que j'ai passé la frontière en fraude.

— Pourquoi ?

— J'étais mal vu à cause de mes idées politiques…

Il avait l'habitude des commissariats et en général de tous les bureaux officiels.

— Quand j'ai appris qu'il était question de me mettre dans un camp de concentration, je me suis réfugié en France…

— Par où ?

— Par Cologne et la Belgique…

— Comment avez-vous fait ?

— Au passage de la frontière, je me suis accroché aux boggies…

C'était un Hans que les Krull ne connaissaient pas encore, un Hans sec et sûr de soi qui défiait les autorités.

— Pourquoi vos parents ne vous ont-ils pas déclaré comme ils devaient le faire ?

— Je n'en sais rien !

— Hier au soir, vous avez accosté ces gamines sur le champ de foire. Qu'est-ce que vous vouliez en faire ?

— Rien, monsieur le commissaire !

— Pourquoi les avez-vous conduites dans un bal musette ?

— Ce sont elles qui l'ont demandé.

— Oh ! fit alors Germaine avec indignation.

— Comme c'est moi qui ai aperçu le premier le corps de la nommée Sidonie dans le canal… Je vous ai d'ailleurs donné mon nom… J'étais là avant le marinier…

— Je me souviens de quelque chose de ce genre… Ensuite ?

— Rien… La curiosité… Je me disais qu'une amie de Sidonie…

— Comment saviez-vous que c'était son amie ?

— Parce que je les avais vues ensemble.

— Quand ?

Hans marqua un temps d'arrêt et ses yeux pétillèrent d'ironie. Quand ? S'il le disait…

Eh bien ! tant pis :

— Dimanche soir…

— Vous les avez vues ensemble dimanche soir ?

— Sur le champ de foire, monsieur le commissaire.

— Vous les connaissiez déjà ?

Fallait-il avouer par-dessus le marché que Hans avait aperçu Sidonie auparavant sous un bec de gaz des quais, les lèvres collées à celles d'un homme ?

— Non.

Les gamines étaient tellement impressionnées qu'elles s'étaient rapprochées l'une de l'autre et se tenaient la main. Quant au commissaire, il était furieux, car tout cela était terriblement compliqué et il flairait maints dangers.

— Pourquoi ne vous êtes-vous pas présenté plus tôt au commissariat ?

— Je vous ai donné mon nom et mon adresse. Vous ne m'avez pas convoqué.

C'était vrai, parbleu ! Tout cela ne ressemblait à rien !

— Silence, vous deux, là-bas ! hurla le commissaire à l'adresse des gamines, parce que la plus petite avait chuchoté quelques mots à l'oreille de l'autre. Et d'abord, à votre âge, vous feriez mieux de ne pas rôder le soir sur le champ de foire. Je vous enverrai dans une maison de correction, moi ! Surtout vous, l'aînée, qui avez entraîné votre compagne…

Il les laissa tous les trois seuls dans son bureau pour aller téléphoner au juge, de la pièce voisine. Elles étaient si impressionnées qu'elles se collaient à la porte.

Personne ne l'avait voulu. Il y avait huit jours que Sidonie était morte et c'était pour ainsi dire Sidonie qui ressuscitait d'elle-même.

— Voilà… déclarait enfin le commissaire avec humeur. Je ne veux pas encore vous arrêter… Je vous préviens seulement que vous êtes surveillé et je vous prie de ne pas quitter la ville… Vous pouvez aller… Quant aux Krull…

Il ne dit pas ce qu'il ferait des Krull. Il attendait d'être à nouveau seul avec les petites filles pour les questionner à fond.

— Je vous ai dit que vous pouviez aller…

Hans haussa les épaules, mit la main sur le bouton de la porte.

— Bonsoir, monsieur le commissaire…

— Bonsoir !

Le dernier regard de Hans, bien involontaire d'ailleurs, fut pour la silhouette boudinée de Germaine dont le commissaire lorgnait les gros seins.

5

En sortant du commissariat, Hans avait la démarche et le regard obliques d'un chien des rues en quête d'un mauvais coup.

La rue Saint-Léonard, où se concentrait tout le commerce du quartier, était étroite, transpercée par des tramways à ras de trottoir. Les maisons étaient des boutiques où l'on vendait surtout des victuailles qui communiquaient leur odeur à toute une portion de rue.

Soudain le regard de Hans accrocha un nom au-dessus d'une façade : *Pierre Schoof.* Puis, en dessous, en belle anglaise cursive : *Beurres, Œufs, Fromages.*

L'odeur débordait de son morceau de rue et allait se mêler à celle du légumier d'à côté dont les paniers envahissaient le trottoir.

Hans s'était arrêté. Pour un peu, il eût collé le nez à la vitrine, comme un enfant ébahi.

Il contemplait M. Schoof, un M. Schoof très différent de ce qu'il était chez ses amis Krull, plus alerte, plus rond, d'une cordialité luisante et fluide.

Dans le magasin tout habillé de marbre blanc, ils étaient trois à servir : M. Schoof, Marguerite au tablier d'un blanc éclatant et une autre fille, une vendeuse qui n'avait pas encore atteint le même degré de rose que ses patrons.

Le contraste était frappant entre ces trois personnes soignées, laquées comme des animaux d'exposition, dont le sourire lui-même faisait penser à quelque chose qui se mange, et les ménagères résignées, vêtues de sombre, les cheveux tirés sur des visages éteints, qui attendaient leur tour de l'autre côté du comptoir et observaient avec une morne angoisse les indications de la balance.

Hans entra.

— Je peux vous parler un instant, monsieur Schoof ?

Il avait dit cela en allemand et M. Schoof manifesta son inquiétude, poussa une porte vitrée, répliqua en français :

— Entrez ici… Je viens tout de suite…

C'était l'arrière-boutique, la salle à manger, la cuisine et le salon tout ensemble, luisant comme le magasin, sans un grain de poussière, sans une ombre sur le poli des meubles.

— Je vous écoute, Hans… Il vaut mieux qu'on ne parle pas allemand dans le magasin… La plupart des gens croient que je suis hollandais et cela vaut mieux… Qu'est-ce que je vous offre ?

Chez Krull, on n'offrait jamais à boire, mais M. Schoof avait dans le buffet un carafon de cognac et une boîte de cigares.

— Je suis venu vous demander conseil, monsieur Schoof, car j'ai reçu de mauvaises nouvelles de mon père et je ne peux pas inquiéter mon oncle Cornélius…

Déjà le pauvre M. Schoof, avec ses yeux ronds, était une victime résignée.

— Vous savez peut-être que mon père, mal vu par les gens au pouvoir chez nous, m'a chargé de passer la frontière avec la plus grosse partie de sa fortune. C'est la raison principale de mon voyage. Seulement, j'ai dû laisser l'argent momentanément dans une banque de Belgique, car je craignais des ennuis à la frontière française.

M. Schoof écoutait d'une oreille, sans pouvoir s'empêcher d'écouter aussi les bruits du magasin, le timbre de l'entrée, le déclic de la caisse enregistreuse.

— Mon père vient d'être arrêté et conduit dans un camp de concentration… Peut-être veut-on le fusiller ?… Peut-être le fera-t-on disparaître ?…

— Jésus, Maria ! se crut obligé de soupirer
M. Schoof.

— C'est pourquoi il faut que je le fasse évader…
Des spécialistes me demandent cinq mille francs,
que je dois expédier télégraphiquement ce soir à une
adresse convenue… Je n'ai pas le temps d'aller en
Belgique retirer les fonds à la banque… Et, si j'en
parle à mon oncle Cornélius…

M. Schoof ne bougeait pas encore, ne paraissait
pas comprendre le but de cette histoire.

— J'ai pensé que vous pourriez, pour quarante-
huit heures, me rendre ce service qui…

M. Schoof ne manifesta aucun enthousiasme. Il
poussa un petit soupir, faillit regarder son jeune
interlocuteur, se dit sans doute que c'était inutile,
qu'il fallait bien y passer et se dirigea vers le tiroir-
caisse.

Marguerite, de l'autre bout du comptoir, le vit
manier de gros billets, comprit, et lança à Hans un
regard curieux.

— Je viendrai vous voir après-demain, monsieur
Schoof…

Mais il parlait encore allemand dans le magasin et
M. Schoof, pour écourter l'entretien, plongeait sous
le comptoir.

Hans ne savait pas encore ce qu'il ferait des cinq
mille francs. C'était une idée qui lui était venue
comme ça, en regardant le magasin, et un même
hasard le fit s'arrêter devant une affiche jaune qui
annonçait pour le soir un grand concert au Conservatoire.

Il entra et prit deux fauteuils. Quand il arriva quai

Saint-Léonard et qu'il poussa la porte de la boutique, écoutant toujours avec un plaisir égal le timbre au son grave, jetant un regard, comme un bonjour, au lion blanc de l'amidon Remy, il ne remarqua pas que sa tante Maria se tournait vers lui avec angoisse, ni qu'elle le suivait dans la cuisine, ni qu'Anna s'arrêtait de travailler et s'essuyait les mains en le questionnant des yeux.

Il avait presque oublié l'histoire du commissariat. Sa tante était obligée de prononcer :

— Qu'est-ce que c'était ?

— Rien… Pas grand-chose… Ils voulaient savoir si j'étais en règle… Il paraît que c'est vous qui ne l'êtes pas, parce que vous n'avez pas déclaré que vous aviez un locataire… À propos, si Liesbeth veut venir au concert, j'ai deux places…

Il comprit que des fauteuils à vingt francs les étonnaient, qu'elles allaient lui demander où il avait pris l'argent et, pour simplifier, il leur jeta :

— … un compatriote que j'ai rencontré… Il avait retenu des places et il doit repartir ce soir…

Ce n'était pas fini. Il s'était embarqué dans une histoire plus compliquée qu'il ne croyait. Tante Maria et Anna s'interrogeaient, ennuyées de laisser Liesbeth sortir seule avec son cousin, mal à l'aise, d'autre part, à l'idée de voir se perdre des billets à vingt francs.

— À quelle heure cela sera-t-il fini ?

Il faillit répondre :

— Quand vous voudrez…

C'était sans importance, puisqu'il n'irait pas au Conservatoire ! Ni ailleurs ! Elles n'avaient pas à se faire de mauvais sang, car ce n'était pas ce soir-là qu'il ferait du mal à Liesbeth !

Non ! L'envie lui était venue de se promener avec elle en bavardant. Il avait pensé tout à coup qu'en somme ils ne s'étaient jamais parlé.

Il avait choisi au petit bonheur l'excuse du Conservatoire et voilà que cela mettait toute la maison en branle, qu'on discutait de la toilette de Liesbeth, qu'on était obligé de repasser sa robe de satin bleu et d'aller acheter des bas neufs dans le voisinage !

— Elle va sortir en robe longue ? questionna-t-il.

— Au Conservatoire, toujours ! Surtout aux fauteuils.

Tant pis ! C'était comme ça et, à huit heures, ils étaient tous les deux à attendre le tram à l'angle du quai, Liesbeth tête nue, les cheveux fraîchement ondulés au fer (elle sentait encore le cheveu brûlé !), une gabardine passée sur sa robe qui frôlait le sol.

— Nous n'allons pas au Conservatoire ? s'étonna-t-elle quand il descendit du tramway deux stations plus loin.

— Non !

— Où allons-nous ?

— Nulle part !

Il lui souriait, enjoué, comme s'il lui eût fait un beau cadeau. Il lui prenait même le bras et cheminait ainsi avec elle, comme un amoureux normal.

— Je commençais à m'ennuyer… dit-il.

Elle se méprit, évidemment, s'excusa, humble et peureuse :

— La maison n'est pas gaie…

— C'est une maison épatante… Vous n'aimez

pas votre maison, vous ?... Moi, rien que l'odeur des
osiers... Puis, quand on ouvre la porte de la boutique...

Elle se demandait s'il plaisantait, mais il ne plaisantait pas.

— Et chaque chose qui est à sa place... Tenez,
les tasses à fond brun qui pendent aux étagères du
buffet, chacune à un petit crochet de cuivre...

Il ne la tutoyait pas volontiers mais ce n'était pas
par respect. Au contraire, en disant vous, c'était
plutôt lui qui se montrait distant.

Ils arrivaient au centre de la ville. Le ciel était descendu doucement jusqu'à presque toucher le toit des
maisons, un ciel d'un blanc cotonneux que le soir
estompait et qui soudain fondait en une pluie fine
comme un brouillard.

— On va boire quelque chose... Tenez, Liesbeth,
asseyez-vous ici...

Il avait avisé la terrasse du *Grand Café*, avec ses
baies ouvertes, ses garçons figés, la serviette à la
main, des musiciens qu'on voyait, sur une estrade, à
l'intérieur, préparer leurs instruments et accrocher
un numéro à une tringle.

— Garçon !

Il lui suffisait de crier « garçon » pour être remarqué par toute la terrasse et pour que chacun sût qu'il
était allemand, mais cela lui était égal et on eût dit
qu'au contraire il éprouvait une jouissance à se sentir
aussi étranger que possible.

— Donnez-moi un demi avec un verre de cognac.

— Ensemble ?

— Oui, ensemble et pour mademoiselle une liqueur…

— Vous voulez le demi en même temps que le cognac ? insista le garçon.

Hans se donna la peine d'expliquer à Liesbeth :

— C'est comme ça qu'on boit chez nous. Vous ne faites pas ainsi à la maison ?

— Nous ne buvons jamais d'alcool, ni de bière.

Après quoi il fut presque aussi long à accorder que l'orchestre. Tatillon, mécontent de ne pas trouver tout de suite l'atmosphère intérieure et extérieure qu'il cherchait, il envoya acheter des cigarettes, les refusa et renvoya le chasseur au bureau de tabac, but trois demis et trois verres de fine avant de se sentir bien.

Mais alors il se sentit vraiment bien, un peu renversé dans son fauteuil de rotin, avec tout le décor qui le pénétrait.

La pluie n'était visible qu'autour des globes blancs qui éclairaient la terrasse et c'était plutôt une poussière lumineuse que l'obscurité happait aussitôt, qu'on retrouvait par terre, sur les pavés noirs et vernis, sauf ceux qui étaient protégés par le vélum et qui formaient un rectangle clair.

La musique jouait une valse viennoise avec la grosse sentimentalité des orchestres de brasseries, et un couple, tout près, lui en chapeau melon, elle les deux mains jointes sur un réticule à fermoir d'argent, passa une bonne partie de la soirée immobile, à écouter.

Liesbeth n'osait rien dire. Elle sentait que c'était une soirée fragile, aussi fragile que le moment qu'ils avaient passé la nuit précédente à la fenêtre, sans parler.

Jamais l'homme à côté d'elle n'avait été aussi mystérieux et aussi attirant, aussi redoutable.

— Je ne vous ai pas encore raconté la mort de mon père, prononça-t-il soudain comme si ce récit faisait partie d'un répertoire. C'est assez curieux ! Mon père était un drôle de bonhomme… Vous savez, n'est-ce pas, qu'il était cordonnier ?… Vous n'êtes jamais allée à Emden ?

— Je n'ai jamais quitté la ville.

— Il tenait une boutique en dessous du Rathaus, car le vieux palais a des arcades et, sous ces arcades, s'alignent des boutiques… Un beau jour, ma mère est partie… On n'a jamais su ce qu'elle était devenue et certains prétendent l'avoir rencontrée en Amérique…

Il jonglait avec ses personnages, avec ses fantômes auxquels il mêlait les réalités présentes, la pluie, les globes de lumière crépitant de papillons de nuit, et jusqu'au profil tendu de sa cousine, jusqu'à son nez pointu qui lui rappelait une petite fille d'Emden, du temps où il courait les rues.

— Mon père, à cette époque-là, était comme Cornélius, aussi neutre, aussi sévère : il pouvait rester assis de six heures du matin à huit heures du soir près de la vitre jamais propre, à manier le tranchet et l'alêne, sans avoir la curiosité d'aller regarder ce qui se passait au-delà de son rectangle de rue, du magasin de poupées qui faisait le coin… Garçon !… Encore !

— La même chose ?

— Bière et cognac… Le cognac dans un plus grand verre !

Elle ne l'avait jamais vu boire et elle était inquiète, surtout qu'il lui arrivait d'élever la voix et qu'alors tout le monde les regardait. Par surcroît, elle était embarrassée par sa robe du soir qui attirait l'attention.

— Certains ont prétendu que mon père avait gagné à une loterie, mais je ne le crois pas. Il ne m'en a jamais parlé, car il considérait qu'on ne doit jamais parler d'argent, que c'est ce qu'il y a de plus secret. Je pense qu'il a plutôt fait une bonne affaire en spéculant sur le mark, comme beaucoup le faisaient alors. Il a acheté un magasin dans la Bergenstrasse, avec des milliers de souliers dans des boîtes en carton et deux jeunes filles en tablier noir pour servir les clients…

Un tram, de temps en temps, qui s'arrêtait brusquement et repartait presque aussitôt.

— C'est curieux !… Sidonie aussi travaillait chez un marchand de chaussures…

Liesbeth tressaillit, car elle n'avait pas prévu qu'on en arriverait à la petite morte du canal.

— Je l'ai connue… continua-t-il en suivant le vol maladroit d'un papillon de nuit.

— Qui, Sidonie ?

— Celle de mon père… Une rousse qui avait un gros grain de beauté sur le menton… Il n'a plus vu qu'elle… Il ne s'occupait que d'elle… Toutes ses journées se passaient au magasin à tourner autour d'elle et les gens s'en apercevaient… Je crois qu'ils couchaient ensemble…

— Hans !

— Quoi ?

— Ton père !…

— Eh bien ! quoi ? Quand je dis que je crois, c'est que je n'en suis pas sûr. Il était assez bête pour se laisser berner sans aucune compensation !… Elle courait les rues, le soir, avec un commis d'une maison d'assurances qui ne se gênait pas pour venir la chercher au magasin et pour regarder mon père dans les yeux… Une première fois, il a essayé de se tuer en se jetant dans le bassin…

— Ton père ?

— Oui… On l'a repêché… Il se débattait… La fille s'appelait Eva, je m'en souviens… Il aurait pu se payer n'importe quelle autre… Je suis sûr qu'à part ma mère il n'avait couché avec aucune femme… Et Eva, par-dessus le marché, sentait la rousse… N'empêche qu'il s'est tué, en prenant cette fois toutes ses précautions… Il est monté sur le parapet du pont tournant, une corde au cou, une grosse pierre attachée à ses pieds… Avant de se laisser tomber dans le vide, il s'est tiré une balle dans la tempe…

Hans rit et elle le regarda avec gêne, une angoisse douloureuse dans la poitrine.

— Voilà ! conclut-il.

Et, sans transition :

— Est-ce que Joseph a eu beaucoup de maîtresses ?

— Je ne sais pas.

Elle mentait. Il le sentit.

— Réponds, insista-t-il méchamment.

— Je ne sais pas s'il en a eu beaucoup, mais il en a eu une. C'était la bonne des Guérin…

— Le menuisier d'à côté ?

— On n'en a guère parlé devant moi… J'avais à peine douze ans…

— Donc, Joseph en avait dix-neuf… Il lui a fait un enfant ?

— Non ! protesta-t-elle en se retournant pour s'assurer qu'on ne les entendait pas.

— Alors, comment cela s'est-il passé ?

— Joseph était somnambule… Il l'a toujours été… Quand il était petit, on avait fait poser des barreaux à sa fenêtre, par crainte qu'il se tue… Une fois, on l'a retrouvé près de l'écluse et il prétendait qu'un bateau réclamait le passage depuis une heure et l'empêchait de dormir… Je vous ennuie, Hans ?

— Continue !

C'était amusant, sa crainte de déplaire et en même temps les coups d'œil anxieux qu'elle lançait autour d'elle !

— Tu connais le derrière de la maison… À cette époque-là, la chambre de Joseph donnait sur la cour… Une nuit, mère s'est réveillée et l'a vu qui longeait le rebord de pierre ornant les deux maisons, celle des Guérin et la nôtre… Elle n'osait rien dire… Elle croyait qu'il était somnambule… Puis il est entré dans une chambre… Le lendemain, elle est allée trouver les Guérin et la bonne a été mise à la porte… Joseph en a été malade pendant un mois et on a dû l'envoyer à la campagne…

Hans fit entendre un petit rire qui n'était pas son

rire habituel, peut-être à cause de tout ce qu'il avait déjà bu.

— Tu ne trouves pas que je ressemble à Joseph? questionna-t-il à brûle-pourpoint en tournant son visage vers elle.

— Non! Sûrement pas!

— Eh bien! c'est toi qui te trompes... Je ressemble à Joseph ou plutôt c'est Joseph qui me ressemble... Tu ne peux pas comprendre la différence... Joseph aurait pu être moi... J'aurais pu être Joseph... Comme ta mère aurait pu être Pipi...

— Hans! se risqua-t-elle à protester devant ce blasphème.

— Ta mère le sent si bien qu'elle n'ose pas mettre Pipi à la porte, même quand elle lui crie des injures. Et tiens! je parie qu'il y a des moments où ta mère l'envie...

— Pipi?

— Oui, mon petit...

Il rit encore. C'était très bien, ce soir-là! L'orchestre jouait du Schubert et un des garçons portait des favoris comme dans l'ancien temps. Les rues devenaient si vides qu'on entendait les pas des gens de quartier à quartier, qu'on devinait les tours et les détours qu'ils faisaient dans les petites rues et qu'on prévoyait le moment où, s'arrêtant, ils enfonceraient leur clef dans leur serrure.

— Tu me suivrais n'importe où, toi?

— Oui.

— Pourquoi?

Elle rougit. Elle n'osait pas répondre :

— Parce que je t'aime!

100

Mais sa main, gauchement, alla chercher la main de son compagnon, et elle lui serra les doigts avec force.

— Tu me suivrais parce que tu t'ennuies à la maison, n'est-ce pas ?

— Ce n'est pas pour cela, Hans !

— Comment envisageais-tu l'avenir, avant de me connaître ?

— Je ne sais pas… J'étudie pour être professeur de piano…

— Joseph pour être médecin !

— Oui… Je serais sans doute restée dans le quartier, mais un peu plus près de la ville…

Elle avait envie de pleurer, sans raison précise. Il lui semblait que Hans, soudain, essayait de la diminuer, de diminuer son amour.

— Pourquoi me demandes-tu ça ?

— Qu'est-ce que tu aurais épousé, par exemple ?

— Je ne sais pas…

— Un commerçant ?… Un employé ?… Joseph, lui, doit épouser Mlle Schoof, n'est-ce pas ?

— Je crois…

— Elle l'aime ?

— Je crois…

— Et voilà ! répéta-t-il avec satisfaction, pour la deuxième fois depuis qu'ils étaient installés à la terrasse.

Comme s'il venait de réussir un tour de prestidigitation, ou de résoudre au tableau noir un problème difficile !

C.Q.F.D. ! Ce qu'il fallait démontrer !

— Si nous rentrions, Hans ?

— Jamais de la vie !

— Le concert va être fini…

— Cela m'est égal.

Prenant son mouchoir dans sa poche, il tira en même temps les cinq billets de mille francs qu'il posa tout fripés sur le guéridon.

— Hans !

Elle le regardait avec angoisse, osait à peine parler.

— Hans !… Cet argent…

— Eh bien ?

Il était de plus en plus enjoué, avec pourtant des prunelles trop brillantes.

— C'est vrai que j'aurais pu les voler ! constatat-il. Cela ne m'aurait pas gêné. Néanmoins, je ne l'ai pas fait. C'est M. Schoof qui me les a donnés…

— Pourquoi ?

— Parce que je les lui ai demandés… J'avais envie d'avoir de l'argent en poche… Ne fût-ce que pour partir tous les deux si les choses ne s'arrangeaient pas…

— Quelles choses ?

— Toutes… On ne sait jamais…

— Il t'a donné autant d'argent, comme ça ?

— Comme ça, oui ! Je lui ai raconté une histoire… Ce serait trop long… Garçon !…

Il paya avec un gros billet, se ravisa et redemanda un verre de cognac, sans se soucier du regard de reproche de sa cousine.

— Moi, déclara-t-il en se levant, voilà comment je comprends la vie !

Il renversa une chaise en quittant la terrasse, se retourna pour voir le café éclairé, deux vieux joueurs de jacquet dans un coin et la caissière qui commençait à établir ses comptes.

— Il est tard, Hans… Je parie qu'il est près de minuit…

Et elle cherchait son bras, faisait de petits pas rapides pour le rattraper, ne savait trop que dire, ni comment s'y prendre avec lui.

C'était le mâle, comme dans une basse-cour, et elle, elle n'était qu'une poulette pas encore habituée, aussi effrayée qu'attirée.

— Où allons-nous ? s'inquiéta-t-elle comme il s'engageait dans une rue obscure.

— Nous rentrons à pied, par les quais.

— Il est tard, Hans !

Cela lui était parfaitement égal. Il racontait, après avoir allumé une cigarette :

— Je ne connais rien de plus excitant que la vue d'un couple embusqué, le soir, dans une encoignure… On ne sait pas au juste ce qu'ils font… On peut tout imaginer… On sent comme une odeur de salive et d'autre chose…

— Hans !

— Quand Joseph voit cela, ses doigts se mettent à trembler…

— Tu l'as vu ?

— Oui ! Il voudrait être à la place de l'homme, de tous les hommes qui font l'amour. Il voudrait déshabiller toutes les femmes, les caresser…

— Tu n'exagères pas, Hans ?

— Je ne crois pas… Tiens ! Regarde…

Il l'arrêtait non loin d'une maison où on apercevait une fenêtre éclairée, au premier étage, un store doré par la lumière intérieure, une ombre, celle d'une femme, qu'on distinguait assez mal mais qu'on pouvait croire occupée à se dévêtir. Au même moment, une autre ombre, la tête d'un homme, surgissait en second plan des profondeurs de la chambre où il y avait certainement un lit.

— Je suis sûr que si Joseph était ici…

— Qu'est-ce qu'il ferait ?

— Rien… Il aurait une sueur froide… Il avalerait sa salive… Ses doigts frémiraient et il chercherait dans tous les coins obscurs, comme un chien qui renifle les poubelles, dans le fol espoir d'une femme attardée…

Elle frissonna et il sentit son frisson.

— Qu'est-ce que tu as ?

— Tu me fais peur…

— Et Joseph ne t'a jamais fait peur ?

— Pas jusqu'à présent… Je ne vais plus oser le regarder… C'est vrai, Hans, que tu ne partiras jamais sans moi ?

— Je crois… dit-il rêveusement.

— Tu n'es pas sûr ?

Il l'arrêta sous un bec de gaz. Il la regarda, le visage légèrement mouillé par la pluie qui devenait de plus en plus fine.

Elle avait les yeux inquiets, les traits tirés, mais il y avait pourtant du bonheur sur son mince visage au nez pointu.

— Viens…

Sa robe allait être souillée dans le bas, car elle était trop longue pour les rues boueuses et surtout pour les quais.

On aperçut l'écluse au loin, en noir sur gris, des péniches avec des bandes peintes en blanc cru, des bancs vides entre les arbres.

Il répéta :

— Viens…

— Qu'est-ce que tu veux faire, Hans ?

Puis, l'instant d'après :

— Pas ici…

— Chut !

Elle regardait autour d'elle avec terreur. Il lui semblait que des gens allaient jaillir de l'ombre, que des yeux la guettaient derrière chaque arbre. Et, par-dessus le marché, quelque chose craquait dans son linge.

— Si Joseph nous voyait !… ricana-t-il.

Elle ne pleura pas. Elle avait trop peur. Mais ce fut bien la minute la plus atroce de sa vie. Elle ne sentait rien. Elle écoutait, au point d'entendre chaque goutte d'eau sur le feuillage des arbres et un chien qui, dans une cour, tirait sur sa chaîne.

— Hans…

Il dénoua l'étreinte, la regarda en souriant.

— Quoi ?

— Je ne comprends pas… Tu… Attention !…

Des pas qu'on percevait nettement. On voyait des ombres, trois, qui suivaient le trottoir. Celle du milieu était une femme. Les deux autres, à cause des képis, étaient reconnaissables pour des agents et ils tenaient chacun un bras de la femme, lui donnaient de temps en temps une secousse.

— Vous êtes des brutes ! Des brutes ! disait-elle.

— Pipi… murmura Liesbeth.

— Eh bien ?

— Je ne sais pas… J'ai peur…

— Peur de quoi ?

— De tout…

Peut-être aussi des péniches qui avaient l'air de grosses bêtes accroupies dans l'eau, des montants du pont-levis…

Est-ce que Hans n'avait pas parlé d'un pont-levis d'où son père…

— Rentrons vite !

En outre, elle avait toujours un malaise physique quand il venait de la prendre et il lui semblait que tout son être en portait des traces visibles.

Les deux agents et la femme s'étaient engagés dans la première rue, qui conduisait au commissariat. Liesbeth butait en marchant.

— On n'aurait pas dû faire ça… articulait-elle machinalement.

Puis elle se raccrochait à nouveau au bras de son compagnon. Elle s'arrêtait de marcher. Elle montrait, dans le rang de maisons sans lumière, un mince filet lumineux sous une porte de rez-de-chaussée.

— Ils ne sont pas couchés !

— Qu'est-ce que cela peut faire ?

— Il y a de la lumière dans le magasin !

— Et après ?

— On n'éclaire jamais le magasin le soir… Il s'est passé quelque chose, Hans !… J'ai des pressentiments…

Haussant les épaules, il l'entraîna, alluma une nouvelle cigarette tandis qu'elle introduisait la clef dans la serrure. Mais la porte s'ouvrit d'elle-même.

Tante Maria était là, toute droite, aussi pâle, aussi grise que ses cheveux.

— Vous voilà... dit-elle d'une voix neutre.

Sur l'escabeau qui servait à atteindre les rayons supérieurs, Anna était assise et, pour la première fois, Hans la voyait pleurer, les yeux gros et rouges, vieillie de dix ans par ses grimaces.

Joseph regardait son cousin avec des yeux secs, mais d'une fixité impressionnante.

Quant à Liesbeth, elle s'avançait de quelques pas, jetait un coup d'œil anxieux à la ronde, ne trouvait pas de réponse à son interrogation muette et lançait d'une voix implorante :

— Qu'est-ce qu'il y a ? Qu'est-ce qu'il se passe ?

— Chut !

Sa mère lui désignait le plafond. Cela signifiait que le père dormait et qu'il devait rester en dehors de tout cela.

— Maman !... suppliait Liesbeth.

Et tante Maria expliquait en détournant la tête :

— Cette femme est venue...

— Pipi ?

Un geste affirmatif.

— Elle frappait sur la porte et criait des injures...

Tante Maria laissa un instant peser son regard sur Hans qui s'était adossé au comptoir et qui voyait en bleu beaucoup plus sombre que dans la journée, à cause du volet qui était derrière, la réclame transparente de l'amidon Remy.

— Elle prétend...

Maria Krull avait de la peine à parler. Sa lèvre inférieure se gonflait. Ses traits se brouillaient et ainsi elle ressemblait davantage à Anna qui soudain éclatait en nouveaux sanglots.

— Elle prétend que c'est nous qui...

Elle ne pouvait plus. La grimace s'élargissait, convulsait tout le visage et tante Maria se cachait sous son tablier de cotonnette à petits carreaux, toujours si soigneusement empesé.

— Maman !

Liesbeth s'élançait vers elle, mais sa mère secouait les épaules comme pour dire :

— Laisse-moi !... Je n'en peux plus...

Tandis que Joseph, immobile dans son coin, regardait durement le plancher gris.

6

Le silence fut soudain, les gestes se figèrent. Chacun resta tel qu'il était, tante Maria le visage à demi caché par son tablier, Liesbeth inquiète et suppliante, Joseph le front bas et, derrière le comptoir, une Anna qui pleurait, saugrenue, en jupon et en camisole, les cheveux sur des épingles.

Le dernier bruit avait été un reniflement de tante Maria et maintenant il y avait un vide. Hans faillit parler, ouvrit la bouche, se ravisa à temps en découvrant, près de la porte vitrée de la cuisine, ce qui les avait tous immobilisés : Cornélius. On ne l'avait pas entendu venir. Il était là. Il les regardait. Il ne les questionnait pas : il les regardait.

Il n'était pas inquisiteur, ni méfiant, ni ironique, ni quoi que ce fût. Simplement présent !

Et les autres ne savaient comment se dépêtrer du geste commencé quand ils s'étaient avisés qu'il était là. Tante Maria était embarrassée de ses larmes. Liesbeth aurait bien voulu sourire. On ne savait même pas au juste depuis combien de temps il était présent, dans quelque recoin de la maison obscure !

— Ce sont des gamins… ou un ivrogne… eut soudain la présence d'esprit de prononcer Anna. Ne pleure plus, maman…

Cornélius essayait de comprendre, fronçait un tout petit peu les sourcils.

— On a cassé une vitre en jetant une pierre sur le volet…

Le lent regard de Krull atteignit enfin la vitrine. Le volet était fermé mais, contre ce volet, on voyait les éclats inégaux de la glace, on sentait circuler l'air.

— Il faudra avertir le vitrier, dit Cornélius. Si on allait dormir ?

Ce fut tout. Chacun le suivit dans l'escalier, sans rien ajouter. Tante Maria resta la dernière pour éteindre et on l'entendit renifler une dernière fois. Dans le couloir du second étage, la main de Liesbeth frôla celle de Hans.

Et dans chaque cellule de la maison le sommeil fut long à venir tandis qu'une pluie fine tombait toujours sur la ville.

Hans fit la grasse matinée, selon son habitude quand il avait bu. Il était nu sur son lit. La fenêtre était ouverte et le soleil éclairait en plein, d'une lumière plus pure que les autres jours, les grands arbres du quai. L'air était meilleur aussi, d'un goût plus vif.

Les yeux clos, les membres étirés, Hans savourait certaines petites vagues qui sautaient par-dessus l'appui de la fenêtre, gonflaient le rideau au passage et lui glissaient enfin sur la peau.

Tous les sons se mélangeaient, ceux de l'écluse, les sonnailles du tramway, les bruits d'en bas et les marteaux du chantier; les pensées se mélangeaient aussi, pas même pensées, plutôt rêvées, autour d'un curieux visage d'Anna, un visage presque poétique qui intriguait Hans et l'attirait.

Puis, sans transition, à cause d'une mouche qui se posait sur sa lèvre, il fut debout, l'œil sournois, la bouche mauvaise et il se gratta longuement le cuir chevelu tandis que ses prunelles se réhabituaient peu à peu à la lumière, distinguaient les arbres, l'eau du canal, l'arrière d'une péniche brune ornée de lettres de cuivre.

Il s'avança de deux pas et alors quelque chose accrocha son regard. Les dernières traînées de sommeil se dissipèrent. L'œil, plus vif, fixait là-bas, au-delà du terre-plein où deux chiens se poursuivaient, l'amorce de l'écluse, un groupe de gens, Pipi au milieu : des gens qui regardaient du côté de chez Krull et Pipi qui gesticulait.

Tout seul dans sa chambre, Hans fit entendre un claquement de langue qui devait signifier :

— Eh bien !…

Puis un haussement d'épaules ! Ce n'était pas sa faute ! Il se brossa les dents, s'habilla, avec de temps en temps un coup d'œil vers l'écluse où un bateau montait et où des mariniers entouraient toujours Pipi.

Ce n'était encore rien et pourtant Hans, qui n'était pas impressionnable, éprouvait le besoin de parler tout seul devant sa glace et de se répéter que ce n'était pas sa faute.

Il entendit Liesbeth entrer dans sa chambre, à côté. Il était donc à peu près dix heures et elle allait faire son lit, vider ses eaux de toilette et enlever les poussières, tandis qu'Anna, dès que son déjeuner serait au feu, viendrait faire le même travail dans la chambre de Hans.

Celui-ci sortit, vit la porte de Liesbeth ouverte, s'avança de deux pas, sans intention d'aucune sorte, simplement pour lui dire bonjour, peut-être pour lui demander si sa mère était remise de son émotion.

Liesbeth, penchée en avant, retournait le matelas de son lit. Elle tressaillit, se retourna et, contre toute attente, mit un doigt devant ses lèvres, fit signe à son cousin de s'en aller.

Cette fois encore, Hans haussa les épaules. Pourquoi il descendit sans bruit, sans faire craquer une seule marche ? Ce n'était pas prémédité. Il atteignait le corridor du rez-de-chaussée où il faisait toujours plus frais qu'ailleurs et où le sol était couvert de grandes dalles bleues. Il entendit des voix, reconnut celle de sa tante.

Il n'avait pas besoin de voir. Anna était assise devant la table couverte d'une toile cirée à carreaux rouges ; des légumes devant elle, elle maniait son couteau à éplucher et tante Maria, comme toujours, était debout près de la porte vitrée de la boutique dont le rideau de guipure filtrait du soleil.

— ... n'ai pas voulu le dire !

C'était la fin d'une phrase. Elle soupirait. On entendit nettement le grattement particulier du couteau sur des légumes, sans doute des carottes.

— ... Quand les gens ont vu un étranger de plus dans la maison...

La tête de tante Maria devait être penchée ; Anna prenait un air triste et digne.

— ... Surtout qu'il n'a rien fait pour passer inaperçu ! ... Au contraire ! Quand je pense au mal que nous avons eu les premiers temps... Et même après !... Pendant la guerre... tu étais trop petite... ton père était pourtant mobilisé dans une gare des environs de Paris... Un jour, un ivrogne à qui je refusais de servir à boire s'est avisé, en sortant, de prononcer le mot espion... J'ai cru qu'on allait tout casser, défoncer la vitrine, jeter les meubles à la rue comme chez les Lipmann qui, eux, n'étaient pas naturalisés...

À travers la porte, cela donnait un bourdonnement grave et régulier. Hans ne bougeait pas.

— Quand l'incendie a éclaté au chantier Rideau, il y a eu des gens pour prétendre que c'était nous, à cause de notre nom...

Et, sur un autre ton :

— Je me réjouis que le vitrier vienne...

Elle rechargea le feu, machinalement, en pensant à autre chose.

— Liesbeth ne t'a rien dit ?

— Non, maman. À propos de quoi ?

— De rien… C'est elle qui est le plus souvent avec lui…

— C'est lui qui court après ! affirma Anna. Plus tôt il s'en ira et mieux ce sera pour tout le…

À l'instant où elle prononçait « monde », il ouvrit la porte en souriant et répéta :

— Monde !… Bonjour, tante ! Bonjour, Anna… On m'a gardé un peu de café ?

Il se servait, décrochait une tasse, penchait la cafetière qui était sur le coin du poêle.

— Pipi est revenue ? s'enquit-il.

— Elle est là-bas, à l'écluse…

— J'ai vu !

Eh oui ! Il avait vu ! Il aurait dû se rendre compte qu'il était de trop dans la maison, mais il ne parlait pas de partir. Il souriait ! Il était enjoué ! Il se réjouissait du soleil, de la qualité de l'air, de l'odeur de la boutique et de la vue des légumes étalés sur la table !

Ne voyait-il pas la sinistre brisure de la glace qui était comme la première plaie de la maison ? Tante Maria, elle, chaque fois qu'elle se tournait de ce côté — et elle le faisait sans cesse —, se sentait si troublée qu'elle se passait la main sur les yeux.

— Où allez-vous, Hans ?

Il avait bu son café et se dirigeait vers le quai.

— … Écouter ce qu'elle raconte !

— Hans !… Je vous en prie… Ne faites pas ça… C'est le meilleur moyen de l'exciter davantage…

— Bon… Je n'irai pas…

On devait se souvenir de ce matin-là, où il n'y avait encore rien qu'une glace brisée, et où l'air était

113

limpide, où l'on voyait passer des familles qui partaient en vacances.

Ce n'était pas à Sidonie qu'on pensait et Pipi elle-même devait un peu oublier que ce n'était que d'elle, pourtant, qu'il s'agissait, qu'à l'origine de tout il y avait un autre matin de soleil où on avait retiré de l'eau une forme blanchâtre et nue.

Aujourd'hui, il n'était question que des Krull et on regardait leur maison de loin, la boutique peinte en brun, le nom en lettres penchées : *C. Krull*.

De temps en temps la voisine, la femme du menuisier, venait sur son seuil pour s'assurer qu'il ne se passait rien, qu'on en était toujours à la glace cassée.

Avant midi, il n'y eut aucun événement, sinon qu'on vit passer Potut qui alla s'asseoir sur un banc où il lui arrivait de sommeiller des heures entières.

Par contre, aucun client ne fit tinter le timbre de la boutique. Pipi, à l'écluse et dans le port, les détournait, courait faire leurs commissions rue Saint-Léonard.

Le vitrier vint à onze heures et demie, se mit au travail et, comme le gamin des Rideau le regardait faire, la voisine lui cria :

— Tu ferais mieux de rentrer chez toi, Émile ! Ne reste pas devant cette maison-là !…

Tante Maria entendit. Hans, qui était dans la cuisine, se tourna vers elle et leurs regards se croisèrent.

Il ne riait plus. Il y avait, dans ses yeux, une gravité nouvelle.

— Qu'est-ce que Joseph a dit ? prononça-t-il.

Maria Krull ne s'y attendait pas. Elle ne put s'empêcher de tressaillir, de lever la tête vers le plafond.

— Il est préoccupé par sa thèse…

Tellement préoccupé que, quand il descendit, il avait le regard fixe de quelqu'un qui a trop dormi et qu'il sursauta dès qu'on lui adressa la parole.

On mangea, chacun à sa place. De la sienne, Hans voyait au-dehors, par la porte qu'on laissait toujours entrouverte. Tante Maria était du même côté que lui et c'est ensemble qu'ils découvrirent le nouveau groupe tandis qu'un ragoût que personne n'appréciait fumait sur la table.

Germaine, le petit bas-cul désormais célèbre dans le quartier Saint-Léonard, arborait le chapeau le plus ridicule, celui qui pouvait le mieux ajouter du grotesque à sa silhouette : une cloche de paille d'un rouge cerise, sans bord, qui la faisait ressembler à un gnome.

Ce qui augmentait encore la ressemblance, c'était son sérieux, ses airs pénétrés, sa façon de secouer la tête de haut en bas quand elle venait de dire quelque chose, comme pour insister :

— Parfaitement ! C'est ainsi…

Et ses gros yeux de poupée ratée…

Elle était là, bien en face de la maison, de l'autre côté de la chaussée, en compagnie de deux jeunes filles et d'un jeune homme qui travaillaient dans le même magasin de chaussures. Elle n'essayait pas de passer inaperçue, ni de feindre de s'occuper d'autre chose. Au contraire ! Elle gesticulait, désignait la maison, puis une fenêtre à l'étage, on ne pouvait savoir au juste pourquoi.

Car, de la cuisine, on ne percevait pas ses paroles. On ne faisait que voir. Et seulement tante Maria et Hans ! On entendit s'ouvrir et se fermer la porte voisine. La femme du menuisier, évidemment, qui venait assister au spectacle.

Elle ne résistait pas longtemps à la curiosité, traversait la chaussée, interrogeait Germaine qui recommençait gravement son explication avec un maximum de gestes.

Liesbeth, en allant prendre une marmite sur le feu, vit la scène et ce fut vers Hans et non vers les siens qu'elle tourna des yeux d'angoisse.

— Il a remis la vitre ? demandait cependant Cornélius qui tournait le dos à la rue.

— Oui... Il vient de finir...

— Combien a-t-il pris ?

— Anna, combien a-t-il pris ? C'est toi qui as payé...

— Je n'ai pas payé, parce qu'il n'avait pas la note. Il doit la demander à son patron...

Des mots comme ça, des gestes de tous les jours, du ragoût, puis de la compote de prunes.

Sur le quai, Potut avait quitté son banc et se tenait maintenant près de la gamine boudinée. Celle-ci parlait toujours. Elle était capable de parler pendant l'éternité, avec la même gravité exagérée des enfants qui se prennent au sérieux, les mêmes gestes catégoriques, les mêmes regards de défi à la maison Krull.

N'allait-elle pas au moins rentrer chez elle pour manger ?

Cornélius allumait sa pipe, aussi serein qu'un saint dans sa niche. La main droite de Joseph se cris-

116

pait. Il se levait, dressait sa longue silhouette dans l'encadrement de la porte et on ne voyait plus rien, que son dos.

— Sers le café, Liesbeth.

Elle laissa tomber une tasse et cela fit du bien, ne fût-ce, pour sa mère, que de pouvoir dire :

— Qu'est-ce que tu fais ? Tu ne sais plus te servir de tes mains !

Joseph se retourna. Sa pomme d'Adam montait et descendait. Il se dirigea vers l'autre porte, celle qui donnait sur le couloir et l'escalier.

— Tu ne bois pas ton café ?

Il hésita, décida que non.

— Je monte…

— Tu devrais te reposer un peu…

Elle ne le pensait pas. Elle savait que ce n'était pas possible. Mais il fallait faire semblant, du moins pour Cornélius.

Le plus inquiétant, c'est qu'après avoir bu son café, le vieux Krull avait l'habitude d'aller jusqu'au seuil de la boutique où il restait un certain temps à fumer sa pipe.

Il le fit ce jour-là comme les autres. Germaine était toujours en face, avec son odieux chapeau rouge. Justement, une petite fille pas plus haute que ça commençait à écrire à la craie sur le mur de la maison. Elle n'avait encore tracé qu'un *a*. L'arrivée de Cornélius la fit fuir avec un cri d'effroi et avec un détour elle rejoignit les autres sur le terre-plein.

Contre toute attente, c'était Hans que cherchait de temps en temps le regard de tante Maria, c'était avec lui qu'elle avait comme des entretiens muets.

— C'est grave, n'est-ce pas ? semblait-elle dire.

Il n'essayait pas de la persuader du contraire. Pour un peu, elle lui eût déjà demandé :

— Qu'est-ce que nous allons faire ?

Alors qu'il n'y avait encore rien, qu'un carreau cassé et aussitôt remplacé, une ivrognesse qui ameutait les mariniers près de l'écluse et une petite fille aux mollets et aux fesses de femme qui jouissait devant la maison du spectacle de sa nouvelle importance !

Quand Cornélius se retourna, on s'inquiéta de ce qu'il allait dire, de ses réactions. Or, il n'y eut rien du tout. Il avait toujours son teint d'ivoire, ses yeux gris sous les sourcils gris, sa barbe roide et il marchait en faisant glisser ses pantoufles sur le sol, traversait la cuisine, comme n'importe quel jour, remettait sa pipe au râtelier et se dirigeait vers l'atelier.

Ce fut Liesbeth qui céda la première et qui éclata :

— Elle ne s'en ira donc pas !

— Calme-toi, murmura sa mère. Ne te montre pas trop.

Et un bon moment elle resta immobile, les yeux mi-clos, ses lèvres seules agitées d'un mouvement régulier : les mains jointes sur le ventre, elle priait, devant la table non desservie, devant son assiette où il y avait sept noyaux de prunes.

Alors une voix perçante résonna dans le cristal de l'air, une voix vulgaire, aiguë de femme du peuple :

— *Germaine !… Germaine !…*

La voix traînait sur la seconde syllabe. Le monstre au chapeau rouge répondait, sur le même mode aigu :

— Je viens, *man* !

Et le groupe fondait devant la maison. On ne voyait plus que Potut, avec ses mauvais pieds, qui plongeait vers le prochain banc. La place était nette. Rien que les troncs des arbres et les cailloux sur lesquels se jouait le soleil.

Maria Krull soupira et regarda Hans avec soulagement.

Elle avait dit, en lui voyant saisir son veston :

— Je crois qu'il vaudrait mieux que vous ne sortiez pas, Hans !

Il n'avait réfléchi qu'un instant et il avait décidé de rester.

On s'ingéniait à faire comme les autres jours. Liesbeth, au salon, jouait du piano et sa mère s'était demandé s'il était bon que la maison, un pareil jour, exhalât ainsi de la musique.

— Il faudra bien que les gens se lassent ! avait affirmé Hans, comme s'il devinait sa pensée.

Et d'heure en heure des liens subtils se resserraient entre lui et sa tante. On aurait dit qu'eux seuls comprenaient, qu'eux seuls savaient ou devinaient certaines choses, qu'eux seuls, dans la maison, étaient de grandes personnes.

— Qu'est-ce que tu fais, Anna ? s'étonna la mère en voyant Anna revenir avec un mouchoir noué autour des cheveux et un seau d'eau à chaque main.

— C'est le jour du magasin, maman…

Hésitation encore. Est-ce qu'il fallait procéder au

grand nettoyage de la boutique, comme les autres semaines ?

On le fit. La porte de la rue resta ouverte tandis que la brosse en chiendent crissait sur les carreaux du sol et que des rigoles d'eau savonneuse zigzaguaient sur le seuil.

Tante Maria travaillait avec sa fille. Tantôt sur l'escabeau, tantôt non, elle saisissait tous les bocaux, toutes les boîtes, tous les paquets de marchandises, rayon par rayon, essuyait les boiseries, allait de temps en temps secouer dehors son chiffon à poussière.

Hans, la plupart du temps, les regardait, debout entre la cuisine et la boutique, fumant sa cigarette, allant parfois s'asseoir dans l'atelier, oasis de paix, de pénombre, de fraîcheur. Rien n'y était différent des autres jours, ni de ce que c'était vingt ans, trente ans plus tôt. Les bottes d'osier, les unes d'osier blanc, les autres d'osier non épluché, étaient dressées contre les murs blanchis à la chaux. Le vieux Cornélius était assis dans son coin, sur une chaise dont on avait scié les pieds à mi-hauteur et l'ouvrier occupait une chaise pareille à deux mètres de lui, façonnait un panier semblable, au même rythme, sans que jamais l'un ou l'autre songeât à parler.

Depuis des années et des années, une vie presque, que ça durait, on n'avait pas changé le coussin en reps bleu qui recouvrait la chaise de Cornélius !

La porte était ouverte. On voyait de l'herbe entre les pavés ronds de la cour qui laissaient une petite place libre, de terre noire, pour le tilleul. Et des oiseaux chantaient, un merle sautillait dans le rectangle clair qui constituait l'horizon des deux hommes.

L'ouvrier était bossu. Il arrivait à six heures du matin, s'en allait, par la petite porte, peu avant la tombée de la nuit et il était difficile d'imaginer le monde dans lequel il s'enfonçait alors jusqu'au lendemain.

Toujours des accords de piano ! Liesbeth s'obstinait, butait au même endroit, reprenait avec nervosité, s'emballait et trébuchait d'une façon identique.

— Hans !

Tante Maria, qui l'avait appelé, se contenta de lui dire à mi-voix :

— Allez voir dehors…

Le trottoir était désert, en plein soleil. Il regarda à gauche et à droite, puis seulement la façade où, sous la vitrine, sur la brique sombre, tranchaient de grands jambages maladroits qui formaient le mot : *Assassins*.

Pipi était absente de l'univers. L'écluse était vide. Le monde paraissait endormi et pourtant, alors que les deux femmes étaient dans l'épicerie dont la porte restait ouverte, quelqu'un s'était approché, peut-être la petite fille de midi, et avait écrit le mot.

Ce n'était d'ailleurs qu'un mot. Peut-être Sidonie n'était-elle déjà plus aussi morte, mais on ne l'évoquait pas encore sur le quai du bout de la ville.

C'était abstrait.

Assassins, *au pluriel* !

Et, au-dessus de la vitrine, le mot *Krull*.

— J'efface, n'est-ce pas, Hans ?

Même Anna, maintenant, qui, un torchon mouillé

à la main, s'arrêtait devant lui et lui demandait conseil !

Les lettres ne s'effaçaient pas tout à fait. De la craie restait dans les pores de la brique et de loin on pouvait reconstituer le mot.

— Rentrez, Hans… Ne restez pas là…

S'il s'était attardé un moment sur le trottoir, c'était pour regarder Joseph, toujours en bras de chemise près de sa fenêtre, penché sur des cahiers.

Tout cela était aussi fragile que l'air, que le paysage quelques instants, quelques fractions de seconde avant l'explosion d'une poudrière.

On faisait les gestes de tous les jours, mais ils paraissaient plus feutrés que d'habitude. On parlait en croyant parler naturellement et les voix n'avaient pas leur son familier. On lavait par terre. Tante Maria astiquait les plateaux de cuivre de la balance, puis le zinc où on servait à boire.

Et on pensait aux ennemis ! On ne savait pas où ils étaient, ce qu'ils préparaient.

À cinq heures, soudain, alors que le magasin de chaussures ne fermait qu'à six heures et demie, le chapeau rouge fut à sa place, et Germaine, cette fois avec des filles, une demi-douzaine de filles de la rue comme elle, qu'elle avait dû ramasser dans l'impasse où elle habitait.

Elles riaient et elles élevaient la voix. Germaine n'était plus impressionnée comme à midi. Elle eut l'idée d'envoyer une de ses amies dans la boutique, pour voir, et auparavant elles se cotisèrent afin de réunir quelques sous.

Celle qui vint était une grande bringue noire de

poil, les pieds nus dans des savates, les jambes grises de poussière.

— Du chocolat ! dit-elle, hargneuse, en s'approchant du comptoir.

— Duquel ?

— Du chocolat pour vingt sous…

Elle regardait tante Maria dans les yeux, les muscles tendus, prête, on le sentait, à s'enfuir au premier geste inquiétant.

Tante Maria pêcha dans un bocal un morceau de chocolat enveloppé de papier violet. La gamine avança ses vingt sous. Peut-être voulait-elle risquer autre chose, un acte d'héroïsme, lancer par exemple une injure, ou jeter le chocolat par terre ? Une tentation de ce genre se lut sur son visage, mais elle n'osa pas, elle prit le papier violet, fit deux pas normalement et s'élança enfin vers ses compagnes.

Une de celles-ci tira la langue en apercevant le front et les yeux de Marie Krull par-dessus l'étalage. Quant à Germaine, elle dédaignait ces enfantillages. Son rôle était trop important. Elle se contentait d'être là, de regarder avec défi dans la direction de la boutique.

Par quel enchaînement mystérieux de pensées tante Maria en arriva-t-elle, quelques instants après, à dire à Hans qui venait de se verser un verre de limonade :

— Votre père ne vous écrit pas, Hans ?

Il sentit le soupçon. Ils étaient presque aussi malins l'un que l'autre.

— Ce serait compromettant pour lui.

— Ah ?

— Je suis assez mal noté du point de vue politique…

Elle n'insista pas, annonça :

— Je vais me laver.

Le magasin encore humide sentait le propre. Anna, le tablier détrempé, les cheveux défaits, se secouait, murmurait :

— Moi aussi…

Mais sa mère n'eut besoin que de la regarder pour qu'elle comprît qu'il ne fallait pas laisser Hans seul dans la boutique et elle se reprit :

— Quand tu descendras !… S'il venait quelqu'un…

Le mot se répercuta. Il était involontaire et d'autant plus frappant. Depuis le matin, il n'était venu personne en dehors de la gamine qu'on voyait léchant son morceau de chocolat sur le quai.

Ce quai lui-même semblait plus vide qu'à l'ordinaire et dans ce vide il n'y avait plus que cet obstiné chapeau rouge, cette Germaine écœurante qui, une heure plus tard, fut rejointe par Ninie haute sur pattes et le visage de travers.

Qu'est-ce que Ninie avait fait de toute la journée ? Pourquoi n'était-elle pas venue sur le quai, elle aussi ? Et Pipi ? Et Potut tout à l'heure endormi sur un banc et qui avait disparu ?

Les ouvriers du chantier Rideau passèrent à six heures, comme d'habitude, mais cette fois ils s'arrêtèrent. L'un d'eux interpella Germaine qui s'embarqua dans un long discours.

Ils étaient en tenue de travail. Ils regardaient le nom *Krull*. Ils devenaient hargneux.

Cependant ils finirent par s'en aller sans rien faire. Après quoi ce fut le tour d'un agent cycliste de s'arrêter au bord du trottoir. Il ne se donna pas la peine de descendre de machine. Comme la porte de la boutique était ouverte, pour laisser sécher les carreaux, il se contenta d'appeler :

— Quelqu'un !

Anna y alla. Il lui remit un papier.

— Qu'est-ce que c'est ? questionna Hans quand elle revint.

— Une convocation pour papa… Il doit se présenter demain à neuf heures au commissariat… Je pense que c'est maman qui ira…

Et, en effet, on ne montra pas la convocation à Cornélius. On ne lui en parla pas. On le respectait. Il était le chef de la famille. Mais, justement, peut-être à force de le respecter et de le craindre, on le tenait en dehors de la plupart des événements.

C'était frappant, d'autant plus qu'il avait ce calme, cette dignité des sourds qui poursuivent au milieu de l'agitation des autres leur rêve intérieur.

Quand il entrait dans la cuisine on se taisait et il paraissait trouver ce silence naturel. On se taisait en mangeant, à part quelques phrases banales ou nécessaires. On se taisait jusqu'à son départ et le silence l'accompagnait dans l'atelier où il rejoignait l'ouvrier.

— Où est Liesbeth ? s'informa tante Maria après avoir glissé la convocation dans son corsage.

Le piano s'étant tu, on ne savait plus où était Liesbeth. On cria son nom dans l'escalier.

Hans avait disparu aussi.

En réalité, ils venaient de se retrouver dans le corridor du second étage. Hans était monté pour prendre des cigarettes. Liesbeth le guettait.

C'était pour s'accrocher à lui d'un air suppliant et pour balbutier :

— Je n'en peux plus !

Était-ce sa faute, à lui ? Ardente, elle poursuivait :

— Partons !…

La voix de sa mère appela :

— Liesbeth !

— Je descends…

Elle avait beau essayer d'hypnotiser Hans, celui-ci ne lui adressait pas le geste d'acquiescement qu'elle attendait.

— Je viens !…

Elle s'arrangeait les cheveux, machinalement. Elle se retournait encore…

— Qu'est-ce que tu faisais là-haut ?

— Rien ! Je me lavais les mains…

— Tu étais avec Hans ?

— Non… Pourquoi ?… Il n'est pas ici ?

Et Hans, penché sur la cage d'escalier, écoutait, faisait claquer sa langue en connaisseur.

Peut-être tante Maria ne dormit-elle pas cette nuit-là ? Ou alors elle fut réveillée par un bruit insolite ? Hans, en effet, à travers son sommeil, crut percevoir à certain moment des chuchotements sur le trottoir. Sa tante pouvait les avoir entendus aussi et s'être réveillée tout à fait ?

Il s'éveilla, pour sa part, parce qu'on lui touchait l'épaule. C'était Liesbeth, en chemise. Elle lui faisait signe de se taire. Le jour était levé, un jour encore indécis, plus gris que rose.

— Va voir en bas… souffla-t-elle.

Et, comme pour mieux lui expliquer ce qu'elle voulait, elle alla à la fenêtre, se pencha prudemment.

Il se leva et passa son pyjama qu'il ne mettait jamais pour dormir.

— Qu'est-ce que c'est?

Elle fit comprendre qu'elle ne savait pas. Sur la pointe des pieds, il descendit l'escalier, traversa la cuisine, entra dans la boutique dont la porte était ouverte.

Tante Maria était là, accroupie, un torchon à la main. Elle leva la tête dans un geste de crainte, reconnut Hans, mit un doigt sur sa bouche.

Il n'était que quatre heures du matin. Il n'y avait pas une âme sur le quai, à part tante Maria qui nettoyait le seuil.

Pour la première fois de sa vie, sans doute, elle se montrait ainsi dehors en négligé.

— Que se passe-t-il? questionnait-il des yeux.

L'odeur le renseigna. Puis la vue, quand il fut tout près. Pendant la nuit, on avait couvert le seuil d'excréments que sa tante était occupée à enlever.

L'épaule de Hans frôla du mou. Il leva la tête et vit un chat crevé, enduit d'excréments lui aussi, qu'on avait suspendu à la sonnette.

Tante Maria s'affairait, sans dégoût, avec seulement la crainte de n'avoir pas tout remis en ordre quand Cornélius descendrait, à cinq heures et demie, comme d'habitude.

Lorsqu'elle vit Hans décrocher le chat, elle lui adressa un regard de reconnaissance.

Puis, toujours par gestes, craignant que le moindre bruit réveillât la maison, elle lui désigna le volet brun.

On y avait tracé en lettres de près d'un mètre, à la peinture à l'huile, cette fois : *À mort*.

7

Un peu après huit heures et demie, Maria Krull, qui était montée dans sa chambre, redescendit, prête à sortir, mais dans ses vêtements de tous les jours, sa robe de laine, son chapeau noir, ses gants de fil et ses souliers aux talons tournés.

Au bas de l'escalier, il y avait un miroir dans le portemanteau de bambou et elle s'y regarda comme elle le faisait toujours pour ajuster son chapeau.

Cette fois, ce fut elle et non le chapeau qu'elle eut l'air de regarder, elle qui, ce matin-là, était toute grise, d'un gris de cendre, pas seulement les cheveux, mais le teint, mais la voix, mais les gestes.

Il y eut un contact étonné entre les yeux qui vivaient et les yeux du miroir, puis tante Maria, au lieu de traverser la cuisine et le magasin pour sortir, remonta au premier.

Anna lavait la vaisselle du petit déjeuner en regardant parfois le quai au-delà de la boutique. Liesbeth, parce que sa mère le lui avait dit, s'était assise à son piano et tournait les pages d'un cahier de musique en écoutant les bruits de la maison. Hans, à ce moment, devait être dans l'atelier ou dans la cour.

Maria Krull allait et venait dans sa chambre et quand elle descendit à nouveau, quelques instants plus tard, elle avait revêtu sa robe de soie noire des grandes occasions, avec les bijoux de jais, la chaîne d'or en sautoir, la voilette et les gants blancs.

Elle n'eut pas besoin de se regarder dans la glace. Elle était pressée. Elle s'élança comme pour sortir d'un seul élan mais revint sur ses pas, se pencha vers Anna qu'elle embrassa sur la joue, sans rien dire, pénétra dans le salon et embrassa Liesbeth deux fois.

Lorsqu'elle traversa enfin le couloir, Hans était là et elle tressaillit, hésita, s'en alla enfin sans avoir desserré les lèvres. Plus exactement, elle avait murmuré à l'intention d'Anna, de sa voix la plus banale :

— Si ton père me demande, dis que je suis allée au marché…

Hans gagna le seuil pour la regarder partir. Elle pressait le pas, malgré elle, regardait à ses pieds et Hans aurait juré que ses lèvres remuaient, que tout le long du chemin elle répétait à mi-voix les mots qu'elle dirait au commissaire…

N'était-ce qu'une impression provoquée par l'absence de tante Maria ? Ce matin-là, il y avait comme des trous dans la maison, ce que les aviateurs appellent des trous d'air. On traversait une pièce et on ressentait une gêne du fait qu'elle n'avait pas sa densité habituelle, que l'odeur n'était pas à sa place, qu'on n'entendait pas un bruit qu'on aurait dû entendre. Ainsi Liesbeth était dans le salon, assise devant son piano, mais alors que c'était l'heure, aucune note ne sortait de l'instrument.

Dehors aussi, ce jour-là, le paysage était plus vide. Y avait-il vraiment moins de bateaux dans le port ? C'était possible, car la morte-saison était commencée. On voyait bien du linge à sécher, mais pas beaucoup et dans l'air trop calme il pendait immobile.

Pipi n'était pas à l'écluse. Sans doute qu'elle avait trop bu la veille et qu'elle cuvait son vin.

Le volet une fois levé, l'épicerie Krull ne portait plus aucune trace des injures de la nuit et on en laissait la porte ouverte, comme pour affirmer qu'il n'y avait rien de changé et qu'on n'avait pas de raisons de se cacher.

Hans, désœuvré, rentra dans la cuisine et, selon son habitude, souleva le couvercle des casseroles, ce qui avait le don de mettre Anna en colère.

Elle ne dit rien. Peut-être ne le remarqua-t-elle pas. Tout était feutré, tout était sourd et les bruits du dehors venaient de plus loin que d'habitude.

— Qu'est-ce qu'on fait à déjeuner ? questionna-t-il.

— Je n'en sais rien.

Ce n'était pas pour ne pas répondre. Elle n'en savait vraiment rien et Hans, continuant sa route, traversa le corridor toujours frais et poussa la porte du salon.

Il trouva le piano fermé, Liesbeth les deux coudes sur le couvercle, le menton sur les mains, le regard planté devant elle sur une partition qu'elle ne voyait pas. Il passa derrière elle et, gentiment, caressa les petits cheveux blonds de sa nuque.

D'abord, elle remua la tête pour lui faire comprendre de rester tranquille. Il s'obstina en souriant et elle soupira :

— Laissez-moi, Hans !

Il caressa de plus belle, en souriant toujours, glissant sa main dans le dos de sa cousine, sous la robe, dans le creux entre les omoplates.

Alors, d'un mouvement instinctif, elle se retourna, le visage animé par une véritable colère et elle lui cria :

— Laissez-moi, je vous dis !

Sa colère n'était pas tout à fait née qu'elle la regrettait, qu'elle regardait Hans avec angoisse, qu'elle détournait la tête en murmurant :

— Pardon... Je suis nerveuse...

Il ne continua pas à la taquiner. Il se mit au rythme de la maison, alla prendre une chaise, s'installa à califourchon près de Liesbeth, en silence, alluma une cigarette. La fenêtre était fermée, voilée de tulle, ornée de deux plantes vertes dans des pots de cuivre. La porte était fermée aussi et ils étaient seuls entre les murs à fleurs, au milieu des portraits agrandis, des meubles cirés et des bibelots.

On aurait dit que Hans savait que Liesbeth allait parler, qu'elle devait parler. Il attendait, dans la pose de quelqu'un qui écoute et elle prononça comme pour se mettre en train :

— Ne me regardez pas comme ça...

Puis, plus bas, tournée vers le piano :

— Il y a des moments où j'ai honte de moi...

Il n'avait pas honte, lui, ni de lui, ni d'elle. Il n'était même pas apitoyé. Mais il appréciait le spectacle, l'instant, depuis l'ambiance du salon jusqu'à la ligne du cou de Liesbeth, son nez pointu, le petit mouchoir roulé en boule dans sa main pour parer à toute éventualité.

— Maman a tellement souffert !... Elle a tellement lutté toute sa vie !... Et moi, pendant ce temps-là...

Ce qu'il dit n'était certainement pas ce qu'elle attendait. Posément, en soufflant de la fumée de cigarette, il questionna :

— Pourquoi a-t-elle souffert ?

C'était le seul moment difficile à passer, l'obstacle à sauter. Ou bien elle allait pleurer et se réfugier dans sa chambre, ou elle parlerait comme une personne raisonnable. Et c'est ce qui arriva, pas d'un seul coup, avec encore des hésitations, des timidités, des gaucheries, mais avec un calme croissant.

— Les gens ont été si méchants avec nous !

— Pourquoi ?

— Pour tout !... Parce que nous sommes étrangers !... À l'école, les élèves m'appelaient la Boche et l'institutrice me disait devant toute la classe :

» — Mademoiselle, quand on reçoit l'hospitalité d'un pays, on a doublement le devoir de s'y bien conduire...

La porte s'ouvrit. Anna montra un visage presque aussi gris que celui de sa mère, regarda le couple paisiblement installé et se contenta de soupirer :

— Vous êtes là ?

Elle sortit comme elle était venue. La porte se referma sans bruit. Liesbeth en profita pour dire :

— Anna a encore eu moins de chance… Elle était presque fiancée avec un jeune homme très bien, le fils du juge de paix qui habite la maison aux deux balcons, en face de l'église Saint-Léonard… Quand le père l'a appris, il a envoyé son fils continuer ses études à Montpellier et il a juré qu'il le renierait s'il épousait ma sœur… Est-ce que nous y pouvons ?… Maman ne se rebiffe jamais… Elle est aimable avec tout le monde… Mais je sais que cela lui fait quelque chose de voir que les voisins, des gens comme les Morin qui habitent tout à côté, mettent plutôt leur chapeau pour aller se servir ailleurs…

La voix baissa encore d'un ton pour un aveu plus grave.

— Maman a tant de mérite, Hans !… Si vous saviez…

Elle allait le dire, bien sûr, mais elle se devait d'hésiter, de regarder autour d'elle pour s'assurer qu'on ne les écoutait pas.

— Quand père est arrivé ici, allant de ville en ville comme les compagnons le faisaient en ce temps-là, le tir n'existait pas et le champ de manœuvres était une vaste oseraie. Les chantiers Rideau n'existaient pas non plus : je crois que c'était le dépotoir municipal… Père, qui ne parlait pas le français, s'est installé dans une baraque en planches, parmi les osiers, de l'autre côté de l'eau, et s'est mis à fabriquer des paniers… On avait une photographie de lui à cette époque-là, mais elle s'est effacée. Il était déjà comme maintenant, sauf que sa barbe était blonde, mais, sur la photo, elle faisait blanche…

Elle s'interrompit, tendit l'oreille. Il y avait quelqu'un dans la boutique. Et tous deux écoutèrent un moment, s'attendant à un éclat, furent rassurés en reconnaissant un bruit de monnaie dans le tiroir-caisse, des pas sur le trottoir.

Il s'agissait d'un client !

— Là où habite maintenant le menuisier, il y avait une petite ferme où le dimanche les gens de la ville venaient boire du lait.

— Et cette maison-ci ?

— Elle n'avait pas encore d'étage et, à la place de la cour, s'étalait le fumier de la ferme. Le port existait déjà. Mère prétend qu'il y avait davantage de bateaux qu'aujourd'hui, tous tirés par des chevaux. C'était ici que les mariniers venaient boire. On ne tenait pas encore l'épicerie, mais seulement la boisson pour les hommes et l'avoine pour les bêtes…

Elle parlait enfin comme une personne raisonnable et dans l'oasis du salon à fleurs l'angoisse de la maison s'était dissipée. La fumée de cigarette s'enroulait autour du lustre. Des moineaux sautillaient sur le rebord de la fenêtre.

— On ne parle jamais de ces choses-là… Anna est plus au courant que moi, parce qu'elle est plus âgée… Elle a connu notre grand-mère.

— La mère de tante Maria ?

— Oui… C'est elle qui tenait le café…

— Toute seule ?

134

— D'abord toute seule… Je n'ai jamais su au juste d'où elle venait, mais elle avait le type du Midi… Il paraît que c'était une très belle femme… Maman aussi était une femme magnifique…

— Et son père ?

— C'est justement pour ça que je disais que maman a eu du mérite, Hans… Plusieurs hommes ont habité la maison tour à tour… Les gens comme il faut ne saluaient pas ma grand-mère… Quant à sa fille, on savait seulement qu'elle était née du temps d'un Alsacien qui était parti après deux ans… Maman a servi au comptoir… C'est ainsi que mon père l'a connue… Pourquoi souriez-vous ?

Il ne souriait pas. Peut-être ses lèvres, en effet, s'étiraient-elles tant soit peu, mais c'était sans ironie. En tout cas il n'avait aucune ironie à l'égard de sa tante.

Il était simplement intéressé… Le chemin parcouru… Ce café avec cette femme venue d'ailleurs et sa fille… Puis Cornélius, sorte de pèlerin qui posait enfin sa besace, amenait ses outils du champ des osiers dans l'arrière-boutique…

— Combien de temps ont-ils vécu tous les trois ? demanda-t-il.

— Plusieurs années, puisque Anna se souvient de grand-mère. Je crois qu'elle avait trois ans quand celle-ci est morte. Elle vivait dans un fauteuil de la cuisine car ses jambes étaient devenues très grosses et elle ne pouvait plus marcher. Joseph prétend que c'était de l'hydropisie et que c'est resté dans la famille…

La grand-mère était morte et l'atmosphère avait

commencé à se purifier ! Le zinc aux boissons avait été relégué, toujours plus exigu, à l'extrême bout du comptoir. Les réclames d'un bleu si pur pour l'amidon Remy avec le lion immaculé, avaient remplacé sur les vitres les chromos vantant des boissons alcooliques, voire des images plus légères…

Tante Maria était jeune et belle, mais sans doute acquérait-elle déjà sa raideur, sa dignité tranquille.

— Pourquoi ne sont-ils pas partis ?

Il trouva lui-même sa question saugrenue.

— Pourquoi seraient-ils partis ? répondit Liesbeth. Où seraient-ils allés ? La maison était à eux. Ils avaient un bon commerce. Les mariniers, quand ils s'arrêtent, font des provisions pour plusieurs jours…

Évidemment ! Ils étaient restés !

Ils étaient restés sans raison, parce qu'ils y étaient !

Est-ce que Cornélius, par exemple, avait eu une raison de s'arrêter ?

Il avait parcouru une partie de l'Allemagne, la Belgique, le nord de la France. Il avait atteint un champ d'osier entre une rivière et un canal et il s'y était installé, simplement, sans chercher plus loin, comme les Juifs s'étaient arrêtés quand ils avaient atteint la Terre promise.

Peut-être ne s'apercevait-il pas qu'il était étranger ? Il avait gardé sa longue pipe en porcelaine, sa religion, ses coutumes. Il parlait le patois de son pays où venaient lentement s'incruster des mots de français et c'étaient ses proches qui avaient dû se familiariser avec son langage.

— Maman n'a jamais rien dit, mais je sais que cela a été dur…

Dur de rester ? De se raccrocher à ce bout de canal, à cette écluse, aux quelques murs de la maison ?

Dur de gagner de l'argent, sûrement, en dépit de l'hostilité des gens ! De le gagner sou par sou, brique par brique, d'abord pour faire construire un étage, puis pour envoyer les enfants dans de bonnes écoles et les habiller comme des bourgeois, pour avoir un salon, un piano et de l'honnête marchandise plein les rayons !

Ce n'était pas encore la ville. Ce n'était plus la campagne. C'était le bout de la ville et les rues commençaient seulement à se dessiner, les trottoirs naissaient, les becs de gaz, la ligne du tramway…

D'autres maisons venaient cerner la maison des Krull. Un menuisier s'installait à côté. Sur l'autre flanc, des petits rentiers, des employés faisaient construire et ceux-là ne devaient pas connaître l'histoire de la grand-mère.

Ils savaient seulement que les Krull étaient des étrangers, qu'ils ne comptaient pas dans le quartier, qu'ils n'avaient rien à voir avec celui-ci mais qu'ils faisaient partie du canal et de sa population errante.

— Et Pipi ? questionna Hans.

— Je ne sais pas… Je l'ai toujours connue comme elle est… Déjà quand j'étais petite, il lui arrivait de faire du scandale dans le magasin… À quoi penses-tu ?

Elle venait de lui dire tu, tout à coup, à son insu. Il est vrai que c'était un des rares moments où ils étaient comme des amis.

Un moment court car, tandis qu'elle regardait son

cousin, Liesbeth eut un frisson. Sa chair se souvenait, tressaillit de honte. Ses traits se brouillèrent.

— Si maman apprenait… balbutia-t-elle en baissant la tête. Pourquoi ai-je fait ça, Hans ?… Qu'est-ce qui va arriver, maintenant ?

Il n'arriva rien tout de suite. Ils n'avaient fait attention, ni l'un ni l'autre, à des bruits de pas sur le trottoir, puis dans la boutique. La porte s'ouvrit. Ce n'était pas Anna. C'était Maria Krull, avec son chapeau des dimanches, sa robe de soie, ses bijoux de jais, une Maria Krull sans couleur, sans expression, qui les regarda tous les deux.

On n'aurait pas pu dire ce qu'elle pensait, ni si elle était étonnée ou mécontente de les trouver là près du piano. D'ailleurs, en les fixant, son regard était si profond qu'il devait voir autre chose. Et cependant elle demandait de sa voix ordinaire, du bout des lèvres :

— Ton père ne m'a pas appelée ?

— Non, maman.

Liesbeth se mordait la lèvre. Elle s'était levée. Elle avait eu un mouvement pour se précipiter vers sa mère, mais celle-ci reculait déjà, refermait la porte et s'engageait dans l'escalier.

Il ne s'était rien passé. Jamais apparition n'avait été plus simple, ni plus impressionnante. Hans fronçait les sourcils, laissait tomber la cendre de sa cigarette, incapable de répondre au regard interrogateur de sa cousine.

Qu'y avait-il de nouveau ? Qu'est-ce que le commissaire de police avait annoncé à tante Maria ? Elle n'avait pas les yeux rouges. Elle n'avait pas pleuré.

Et c'était encore plus inquiétant de la voir si calme, si froide, d'entendre sa voix sans accent, des mots si quelconques :

— Ton père ne m'a pas appelée ?

C'est donc à cela qu'elle pensait, à cacher à Cornélius sa visite à la police ?

À présent, elle était juste au-dessus de leur tête. Ils pouvaient deviner chacun de ses mouvements tandis qu'elle se déshabillait et revêtait sa robe de semaine, nouait à ses reins son tablier de cotonnette à minuscules carreaux bleus.

— Où allez-vous, Hans ?

— Nulle part...

Il en avait assez du salon et de l'atmosphère qu'ils y avaient créée, voilà tout. Il avait envie d'aller revoir Cornélius, assis sur sa chaise aux pieds sciés, à côté de l'ouvrier bossu.

L'oncle, placide, maniait l'osier de ses longues mains aux veines saillantes. Il leva la tête et son regard était un regard d'accueil. Il était habitué à ce que Hans vînt de temps en temps rôder dans l'atelier plein de fraîcheur, parfois s'asseoir et raconter des histoires de son pays.

N'avait-il pas perçu l'écho des allées et venues de sa femme ? Ne s'était-il douté de rien, le matin, quand il avait fallu tout remettre en ordre avant son réveil ?

Son long visage gardait son expression éternelle. C'était de la sérénité, que la barbe blanche accentuait, et pourtant, dans le coin des lèvres, on croyait distinguer, par instant, autre chose, comme de la résignation ou une secrète ironie.

— Il fait chaud ! soupira Hans impressionné par le silence et la paix de l'atelier.

Tante Maria avait déjà regagné le magasin. Elle servait une femme de marinier maigre et rousse qui portait un enfant sur le bras et qui devait se livrer à une gymnastique difficile pour prendre de l'argent dans son gros porte-monnaie.

Puis ce fut à nouveau le vide, Anna qui n'osait rien dire, Liesbeth qui se décidait, comme par désespoir, à faire ses exercices de piano, lentement, durement, méchamment.

Dehors, on ne voyait toujours pas Pipi. Quant à Joseph, dans sa chambre, il faisait si peu de bruit qu'on pouvait le croire absent.

Plusieurs fois, Hans sentit que le regard de sa tante le cherchait, pesait sur lui avec insistance, mais quand il la regardait à son tour elle détournait la tête.

Elle avait entrepris, sans raison apparente, de refaire les piles de centaines de boîtes de sardines qui emplissaient trois rayons et elle procédait à ce travail avec un calme exagéré, avec une volonté qui rappelait l'application farouche de Liesbeth à son piano.

— C'est servi ! vint enfin annoncer Anna, la seule à manifester sa lassitude.

Cornélius arriva de l'atelier, Joseph d'en haut, en manches de chemise, les yeux fatigués.

Le quai restait désert. On pouvait se demander où étaient passés les ennemis de la veille et ce qu'ils préparaient.

Il n'y eut que Germaine, toujours avec son chapeau rouge, à venir faire son tour de piste, comme un auguste. Elle était accompagnée, cette fois, de deux petites filles qui n'avaient pas plus de douze ans et qui n'en étaient que plus pénétrées de son importance.

Germaine marchait au centre et les deux autres lui tenaient le bras, à la façon dont elle-même tenait jadis le bras de Sidonie, parce qu'elle était la grande.

Toutes trois formaient un groupe compact et hermétique, chuchotaient de redoutables secrets et parfois lançaient peureusement un coup d'œil à la maison Krull.

Mais sans doute Germaine aux gros seins avait-elle été grondée la veille pour n'être pas allée déjeuner à l'heure car la cérémonie ne dura pas, les trois gamines, en grappe, sérieuses comme de grandes personnes, s'éloignèrent dans la direction de la rue Saint-Léonard.

Quant à Joseph, il était si pâle et si las qu'il faisait pitié et c'est à peine si, quand il était sûr qu'on ne le regardait pas, il osait lever vers sa mère des yeux anxieux.

— Tu n'as pas encore fini ta thèse ? lui demanda Anna, afin d'apporter au moins dans la cuisine le bruit rassurant de la voix humaine.

— Il me reste quelques pages à écrire.

— Quand passes-tu ?

— Le 7...

— Pourvu que M. Schoof ait pu s'arranger pour la maison !

C'était une autre histoire. Sa thèse aussitôt passée,

Joseph, qui avait été externe des hôpitaux pendant deux ans, s'installerait comme médecin.

On avait en vue une petite maison neuve, dans la partie du quai déjà englobée par la ville. Cette maison devait être la dot de Marguerite qui l'avait choisie pour son aspect propret et son bout de jardin entouré d'une grille.

Ainsi, installation et mariage devaient coïncider en automne, mais le propriétaire actuel de la maison demandait un prix que M. Schoof jugeait exagéré et il y avait plus d'un mois que duraient de savantes manœuvres.

— Tu ne manges pas d'épinards ?

Il fit non de la tête. Quant à Cornélius, il y avait une tradition qu'on n'avait pu lui faire abandonner, sauf quand il y avait du monde : c'était de se servir, non d'un des couteaux du service, mais de son couteau de poche qu'il gardait depuis quarante ans et dont la lame n'avait plus un centimètre de large. Il coupait son pain sur son pouce, se penchait et tenait sa barbe de la main gauche en portant les aliments à sa bouche.

— Tu as une leçon après-midi, Liesbeth ? demanda Maria Krull.

— À deux heures… Cours d'harmonie…

Un avion évoluait au-dessus du quartier, si bruyant, si bas qu'on se demandait s'il n'allait pas heurter une cheminée, défoncer un toit, comme cela se voit parfois dans les journaux. Joseph se leva le premier et monta.

On ne savait toujours rien de ce qui s'était passé dans le bureau du commissaire de police et tante

Maria comme elle le faisait chaque jour, aida d'abord Anna à laver la vaisselle.

Peut-être le faisait-elle exprès de reculer le moment ? Peut-être se préparait-elle, prenait-elle des forces, s'entraînait-elle à ce calme inhumain qu'elle affichait depuis le matin ?

Par surcroît, il y avait Hans qui ne savait où se mettre et qui était toujours là quand un muscle du visage allait se détendre.

Une fois, tandis qu'elle procédait à une sorte d'inspection de la boutique, tante Maria ne lui lança-t-elle pas un regard suppliant ?

Elle mettait de l'ordre, touchait n'importe quoi, ouvrait le tiroir-caisse et le refermait.

Puis enfin elle semblait respirer un grand coup. Elle annonçait à Anna, par la porte entrebâillée de la cuisine :

— Je redescends tout de suite !

Elle monta l'escalier avec une lenteur calculée, en tenant ses jupes, s'arrêta un bon moment sur le palier et enfin tourna le bouton d'une porte qui résista. Alors elle frappa de petits coups.

— Qu'est-ce que c'est ? s'enquit la voix de Joseph.

Et elle, dans un souffle :

— C'est moi…

Deux heures durant, ils furent, Anna et Hans, comme deux bêtes en cage, moins furieuses d'être en cage que d'avoir été mises ensemble et de se retrouver à chaque pas.

Anna, par extraordinaire, ne faisait rien, n'avait le

courage de rien entreprendre et quand elle perdait contenance elle allait se camper derrière le comptoir comme si elle attendait des clients.

Cela permit à Hans de remarquer qu'elle avait la même façon que sa mère de se soulever sur la pointe des pieds et de regarder le quai, comme clandestinement, par-dessus la vitrine.

On déchargeait des briques d'un rouge agressif dans le soleil, d'autant plus agressif qu'il tranchait avec le vert du feuillage.

Mais c'était loin : à moins de cent mètres et pourtant dans un autre monde dont on eût été séparé par des espaces infranchissables.

Ce qui existait, c'étaient les voix, là-haut, des murmures, l'un très bas, l'autre chuchotant, un étrange dialogue, fait d'abord d'un interminable monologue à peine entrecoupé par les interventions de Joseph.

La porte avait été fermée à clef. On avait nettement perçu le bruit de la fenêtre qu'on refermait.

Et on ne savait rien, sinon que Maria Krull parlait, parlait, avec un débit égal, comme on récite la Bible, comme les chrétiennes, dans leur coin sombre d'église, grignotent des chapelets.

— Vous allez continuer à vous promener comme ça dans la maison ? finit par protester Anna, malade de vertige.

Il ne répondit pas, la regarda. Son regard n'était pas méchant, ni ironique. S'il n'était pas affectueux, il était empreint, pour la première fois, d'une curiosité sympathique.

— Qu'est-ce qui vous a donné l'idée de venir vous incruster chez nous ?

— Le fait que je ne pouvais pas aller ailleurs…

— S'il arrive quelque chose (elle n'osait pas dire : un malheur !) vous en serez responsable…

— Vous croyez ?

Il prit un bonbon acidulé dans un bocal et le mit dans sa bouche.

— Qu'est-ce que le commissaire vous a dit, à vous ?

— Rien… Presque rien…

Et voilà qu'après une heure on entendait un bruit différent des autres, sur le plancher, comme celui de la chute d'un corps, mais en dur : le bruit, à peu près, que ferait quelqu'un en tombant à genoux.

Anna regarda Hans qui ne bougea pas. Ils se retinrent de respirer.

Et ce fut le monologue de Joseph, haché, désordonné, troué de vides qui étaient peut-être des sanglots.

Combien de temps parla-t-il de la sorte ? Cinq minutes ? Dix ? Ce fut long, en tout cas, long et douloureux.

Puis encore des bruits. On pouvait espérer que c'était fini. Il y avait des pas précipités, d'autres pas, et enfin le grincement caractéristique des ressorts du lit qui venait de recevoir le poids d'un corps.

— Hans !

Il ne se retourna pas.

— Vous savez quelque chose ? Dites-le-moi ! Je suis à bout ! Est-ce que Joseph… ?

Il n'aimait pas Anna, sans raison, peut-être parce

qu'elle n'était pas excitante, peut-être simplement parce qu'elle ne l'aimait pas davantage et pourtant il fut ému, chercha une réponse, balbutia :

— Qui sait ?

On ne pouvait pas pleurer, personne ! On était sous pression ! On ouvrait la bouche pour dire quelque chose et on ne prononçait pas un mot !

Que se passait-il là-haut ? Pourquoi le silence absolu ? Un silence à n'en plus finir !

Un charretier entrait, son fouet sur l'épaule, lançait familièrement :

— Sers-moi un petit marc.

Anna le servit, remplit trop le verre et eut la présence d'esprit de saisir un chiffon pour essuyer le comptoir.

Ouf... Au premier, ils étaient enfin debout. Joseph parlait. Il ne prononçait que quelques phrases. C'était sa mère qui reprenait son homélie... Ils s'asseyaient... Ils devisaient plus posément...

Et Anna, glissant la monnaie du charretier dans le tiroir doublé de métal, avait enfin l'audace de dire en regardant vers le quai :

— Vous feriez mieux de vous en aller... Sans compter que vous ferez le malheur de Liesbeth...

Il n'eut pas le temps de lui demander ce qu'elle entendait par là. La porte, là-haut, s'ouvrait et se refermait. Tante Maria pénétrait dans sa chambre, n'y restait que quelques instants, descendait enfin, lentement, traversait la cuisine, s'encadrait dans la porte de la boutique.

Et elle murmurait, la tête un peu penchée à

droite, tellement pareille à elle-même que c'en était hallucinant :

— Qu'est-ce que vous complotez là, tous les deux ?

8

À sept heures moins cinq, sur le canal rectiligne que le feuillage des arbres, en se rejoignant, transformait par endroits en tunnel, entre les talus verts et les troncs alignés, quelques bateaux gravitaient encore, les uns trépidant au rythme des diesels, les autres glissant au pas des chevaux, tous baignés par la même paix du soir, par le même soleil oblique et rosé qui enflammait les vitres d'une maison blanche dans la verdure et prolongeait d'une ombre démesurée une petite fille conduisant un percheron pommelé.

Le moteur du *Centaure* qui se pressait vers l'écluse de Tilly avait des résonances de tam-tam. L'eau s'écartait. Les murs approchaient et l'homme donnait de grands coups de sirène, car il voyait l'éclusier, sa manivelle à la main, regagner sa maison.

La main en visière, l'éclusier regardait arriver le *Centaure*, consultait sa grosse montre d'argent et enfin se résignait à ouvrir lentement les portes.

C'était trois biefs en amont de chez Krull, à sept ou huit kilomètres. L'écluse de Tilly était la plus mal vue, à cause de son bassin ovale, de ses vannes latérales qui lâchaient trop d'eau à la fois et provoquaient des remous.

Les gens du *Centaure* voulaient, pour la nuit, se rapprocher du village qui était au-dessus de l'écluse. La femme, à l'avant, tenait le filin d'acier qu'elle mollissait à mesure.

Cent fois on avait dit :

— Il arrivera un malheur à l'écluse de Tilly ! Faudra qu'un bateau s'y perde pour que les Ponts et Chaussées se décident à intervenir !

Le malheur arriva. La femme mollit-elle trop vite ? Le bateau s'écarta du mur, fut poussé par les remous, avança d'un mètre au moins, assez pour que son avant restât sur la dalle qui allait s'asséchant.

La femme cria. Le marinier courut vers l'avant. L'éclusier se pencha, mais il était déjà trop tard car le *Centaure*, dont l'avant était presque entièrement hors de l'eau, se cassait lentement en deux.

Il transportait du ciment.

À l'autre bout de la ligne droite et des deux rangs d'arbres, les Krull ne s'en doutaient pas et vivaient comme s'il ne s'était rien passé sur le canal.

Juste à l'heure de l'accident, Hans, qui en avait momentanément assez de la cuisine, du salon et de la boutique, allumait une cigarette sur le seuil de la cour. En jetant l'allumette, il observa le mur bas, blanchi à la chaux, qui séparait la cour du jardin des Guérin. Au-dessus du mur, il aperçut le visage d'un gamin juché sur Dieu sait quoi, une échelle ou une barrique, et qui, immobile, les pupilles dilatées, le regardait fixement.

— Louis !... cria une voix de femme.

Il ne bougea pas. Il voulait voir encore, comme sidéré par le spectacle.

— Louis! Vas-tu descendre? Je te défends de regarder chez ces gens-là!...

La porte de l'atelier était ouverte. Cornélius et l'ouvrier avaient sûrement entendu. Mais ni l'un ni l'autre n'avait bronché et ils ne bronchèrent pas davantage quand Hans s'assit auprès d'eux.

Seulement les yeux de l'ouvrier pétillaient de malice, surtout quand Hans commença:

— Est-ce que je vous ai raconté l'histoire du singe? C'était quand j'habitais Düsseldorf, chez une cousine de ma mère qui tenait une parfumerie près de la gare...

L'ouvrier souriait en dedans, d'une façon qui n'appartenait qu'à lui, un peu comme on mange un bonbon. Il y avait un compte qu'on aurait pu tenir dans un carnet: celui des parents ou des amis chez qui Hans avait vécu un peu partout en Allemagne. Toutes ses histoires commençaient de la même façon:

— Quand j'étais à Berlin, chez tante Marthe...

Ou:

— Quand j'ai passé mes vacances au Tyrol, chez mes amis von Neumann...

L'ouvrier mâchait à vide, peut-être parce que ces remarques le réjouissaient intérieurement, peut-être parce que c'était un tic.

À part l'accident de l'écluse, à huit kilomètres — mais on ne devait l'apprendre que le lendemain

—, il n'y eut rien ce soir-là et la maison Krull se détendit, lasse d'une nervosité trop prolongée.

De petits riens. Par exemple, au moment où on se mettait à table, la chaise de Joseph qui restait vide et que chacun ne pouvait s'empêcher de regarder. Pourtant on avait déjà crié deux fois au bas de l'escalier que le dîner était servi.

Alors, tante Maria monta, sans rien dire. Elle descendit quelques instants après, annonça simplement :

— Il vient.

Et il vint. Il ne regarda personne. On comprit qu'il avait pleuré, mais on feignit de ne pas le remarquer.

De même, tout de suite après le repas, c'est tante Maria qui lui conseilla, comme on parle à un malade :

— Va te coucher tout de suite. Cela te fera du bien…

Enfin, alors qu'on avait l'habitude de fermer le magasin beaucoup plus tard :

— Je vais baisser les volets…

Cornélius ne protesta pas et pourtant c'était le moment où il aimait fumer une dernière pipe sur le seuil en regardant l'air bleuir sous les arbres.

En somme, par la grâce de Maria Krull, dont les doigts crayeux semblaient écarter une monstrueuse toile d'araignée, il ne se passait rien, ou tout était comme s'il ne se passait rien.

Mais Hans qui, comme les femmes, sentait beaucoup plus encore qu'il ne comprenait, surprenait de temps à autre, justement quand il regardait ailleurs, un bref coup d'œil de sa tante. Et ce n'était pas un coup d'œil pareil aux autres, aux anciens. Elle voulait savoir ce qu'il pensait. Elle le scrutait. Elle l'épiait. Elle savait qu'il le savait. Lui savait qu'elle le savait. Si bien que les autres, ceux de la famille, comptaient beaucoup moins que Hans-l'étranger !

— Elle voudrait me parler, pensait-il.

— Il devine que j'ai besoin de lui ! se disait-elle.

Et chez la tante il n'y avait plus de rancune pour le pique-assiette qu'il était, plus d'impatience. Chez Hans, il n'y avait plus d'ironie.

Ils s'attendaient. Mais ce ne fut pas pour ce soir-là. On avait besoin d'une halte et il ne fallut pas dix minutes pour que chacun fût dans sa chambre.

À cette heure-là, des gens se promenaient sur le quai, nonchalants, des couples, des vieux ménages qui prenaient le frais ou qui sortaient les enfants, des femmes avec des petits chiens. Le chapeau rouge passa et repassa et Germaine était à nouveau accompagnée des deux petites filles de midi.

Sans doute à cause de l'heure et d'un groupe de jeunes gens, elles adoptaient toutes trois une allure plus sentimentale et, si elles regardèrent du côté de chez Krull, elles ne provoquèrent pas de scandale.

Beaucoup plus tard, alors que Hans était à moitié endormi, d'autres jeunes gens revinrent de la ville en chantant et l'un d'eux donna un coup de pied dans la porte, mais il l'aurait peut-être fait à n'importe quelle maison.

Hans qui dormait la fenêtre ouverte fut réveillé par des éclats de voix provenant de la boutique. Un instant, il crut que tante Maria était aux prises avec quelqu'un, mais quand il écouta il se rendit compte que l'homme, un marinier, n'en avait pas à elle mais au gouvernement et en particulier aux Ponts et Chaussées.

Une rumeur venait de l'écluse où des groupes se formaient autour d'une affiche manuscrite annonçant qu'en raison de l'accident survenu à l'écluse de Tilly, le canal était mis en chômage pour une période de vingt jours environ.

Au cours de la nuit, déjà, les eaux avaient baissé de vingt centimètres et de grosses bulles qui évoquaient l'idée de maladie montaient à la surface.

Toujours de sa fenêtre, Hans fit une autre découverte. À une cinquantaine de mètres de la maison, un agent de police était en faction, ce qui n'était pas habituel.

Il y en avait sans doute eu un toute la nuit, peut-être même la veille au soir, que Hans n'avait pas aperçu, et cela expliquait l'attitude plus réservée de la gamine aux seins et aux fesses, et aussi qu'il n'y eût pas de nouvelles inscriptions sur la maison.

Puisque l'agent était en uniforme, il n'était pas là pour surveiller les Krull mais pour les protéger, ce qui indiquait que tante Maria s'était plainte.

Hans se lava des pieds à la tête à l'eau froide et Anna se mettait encore en colère, car il inondait d'eau tout le plancher ciré. Il se servit de café ainsi qu'il le faisait chaque matin et, par la porte entre-bâillée, il retrouva, comme une complicité, le regard de sa tante.

Il savait maintenant que c'était pour bientôt. Il faisait l'innocent et prenait sur le comptoir le journal local qu'on y posait chaque matin et que personne ne lisait, sauf Anna qu'intéressaient les nécrologies.

La mystérieuse affaire du quai Saint-Léonard.
Nous apprenons que l'affaire du quai Saint-Léonard pourrait bien rebondir. Le nommé Potut, qui avait été arrêté à la suite de la découverte du cadavre de Sidonie S..., a été relâché voilà plusieurs jours. Il se confirme qu'il n'est pour rien dans ce crime odieux.
Nous croyons savoir que la police suit actuellement une autre piste qui paraît sérieuse.

Encore un hasard, à coup sûr ! Le vieux reporter du journal qui, en faisant sa tournée des commissariats, avait entendu des bruits plus ou moins vagues !

Hans referma le journal, le remit à sa place sans rien dire. Il se demandait quand et comment tante Maria allait lui parler, si elle le ferait tout naturellement dans la boutique, ou bien si elle lui donnerait rendez-vous en haut, ou encore...

Il se dirigea vers le salon plein du vacarme du piano et, comme la veille exactement, passa la main sur la nuque de Liesbeth, car il répétait volontiers les mêmes gestes, recherchait certaines atmosphères déjà appréciées.

Cette fois, Liesbeth se tut, pencha un peu la tête pour déchiffrer sa partition et, au même moment, tante Maria entrait, feignait de prendre un objet dans un tiroir.

Aussitôt Liesbeth se levait et sortait. On avait dû lui dire :

— Dès que tu me verras avec lui, tu nous laisseras seuls…

Comme on avait dû prier Anna de garder le magasin !

Si bien qu'ils étaient enfin en tête à tête, dans le salon aux petites fleurs et aux bibelots fragiles. Hans remarqua encore que sa tante avait mis ses lunettes, qu'elle ne portait d'habitude que pour lire. Ce n'était pas afin de mieux le voir, mais, au contraire, afin de lui cacher ses yeux. Elle fouillait toujours le tiroir, prononçait sans le regarder :

— Vous avez des nouvelles de votre père, Hans ?

Il ne se démonta pas. Il reçut pourtant le choc, mais il le reçut en souriant et eut presque envie de grommeler :

— Canaille !

Il comprenait. Il prévoyait que la suite serait désagréable, mais cela ne l'empêchait pas d'allumer une cigarette avec désinvolture, ni de s'asseoir au bord de la table, ce dont sa tante avait horreur.

— Je n'ai pas reçu de lettre ces jours-ci ! répliqua-t-il d'un ton léger.

— C'est dommage, car M. Schoof se fait du mauvais sang pour ce pauvre homme…

— Vraiment ?

Elle abandonnait enfin son tripotage du tiroir qui devenait crispant, restait debout, le dos à la fenêtre, dans sa pose familière, les mains croisées sur le ventre.

— Votre père n'est-il pas mort il y a quinze ans ?

Les lèvres de Hans frémirent. C'étaient quand même des moments désagréables à passer, mais il était décidé à rester beau joueur. Il préféra rire, d'un petit rire crispé.

— C'est le commissaire qui vous l'a dit ? Je ne pensais plus à mon passeport qu'il a examiné…

— Que comptez-vous faire, Hans ?

Il lui fallait penser vite, sentir vite et surtout ne pas se tromper. Deux ou trois jours plus tôt, dans les mêmes circonstances, il n'aurait eu qu'à partir, comme cela lui était arrivé en d'autres endroits où il s'était incrusté plus ou moins longtemps.

Mais il se souvenait des regards que sa tante lui lançait la veille. Il l'épiait encore, avec la conviction qu'elle jouait un jeu, comme les paysans au marché qui critiquent la vache qu'ils veulent acheter.

Elle avait dû préparer l'entretien point par point, aussi minutieusement que par écrit. Elle commençait par mettre l'adversaire en mauvaise posture. Mais pour arriver à quoi ?

— Ce que je vais faire ? Ma foi, tante, je vous avoue que je ne sais pas encore. J'ai un ami dans le Midi, quelqu'un que j'ai connu à l'école, mais j'ignore son adresse exacte. Ce dont je suis sûr, c'est qu'il habite une villa entre Nice et Cannes…

Il était cynique. Il jugeait que cela valait mieux. Il ne s'attendait pas à la riposte :

— Et Liesbeth ?

— Liesbeth ? répéta-t-il pour se donner le temps de se remettre.

Qu'est-ce que sa tante savait au juste de ses relations avec Liesbeth ? Qui avait parlé ? Fallait-il croire que c'était Joseph, au cours de la longue scène de la veille ? Avait-il tout dit ? Ou bien Anna avait-elle seulement fait part à sa mère de ses soupçons encore imprécis ?

— Vous ne répondez pas…

Ce qu'il y avait malgré tout d'encourageant, c'était l'attitude de sa tante qui restait calme, un peu dolente. Ce n'était pas l'attitude d'une femme qui vient d'apprendre qu'elle abrite un escroc et que celui-ci, par-dessus le marché, a vilainement abusé de sa fille.

Alors ?

— Je ferai ce que vous déciderez, tante ! répliqua-t-il sans se compromettre.

— Vous rendez-vous compte de ce que vous êtes ?

Et lui crânant :

— Je me rends compte que je n'ai pas eu le choix et que ma vie a fatalement été ce qu'elle devait être…

Cela ne signifiait rien. Cela lui permettait de rester désinvolte, voire de regarder Maria Krull avec défi. Tant pis pour elle si elle le prenait sur ce ton-là !

— Écoutez, Hans…

Elle baissait déjà d'un ton et il pensait :

— Voyons quelle est la fameuse proposition !

Car elle allait en faire une ! Cette scène n'avait pas de sens autrement. La tante était, par le fait, dans une situation encore plus difficile que lui. Voilà pourquoi elle avait mis ses lunettes, parce qu'elles lui donnaient de l'assurance et empêchaient de lire l'angoisse et l'indécision dans ses yeux.

— Écoutez-moi…

Elle hésitait encore, regardait par terre.

— M. Schoof pourrait porter plainte… Déjà à

cause de vous, parce que vos papiers ne sont pas en règle et que nous ne vous avons pas déclaré à la police, nous aurons une forte amende, le commissaire me l'a annoncé hier... Quant à Liesbeth, elle est mineure et s'il y avait des suites...

Elle dut détourner la tête et elle n'avait à travers ses lunettes qu'une vision brouillée, car les verres s'embuaient.

— Il n'y en aura pas ! se hâta-t-il d'affirmer.

Il était sûr de lui. Et il voulait vraiment lui enlever cette inquiétude.

Elle, de son côté, n'osait pas insister.

— De toute façon, il faut que vous partiez... Vous ne pourrez même pas rester en France, car il vous faudrait des ressources et le commissaire m'a dit que vous n'obtiendrez pas de carte de travailleur...

Ces derniers mots provoquèrent irrésistiblement un sourire de Hans qui n'était plus gêné du tout.

— ... car vous vous rendez compte que vous ne pouvez pas rester ici... Même s'il ne s'était rien passé, nous n'aurions pas pu vous garder à rien faire... Nous ne sommes pas riches... Les gens nous regardent d'un mauvais œil...

— Je sais...

Mais non. Ce n'était pas suffisant. Elle insistait. Donc, elle avait ses raisons pour cela. Et elle parlait lentement, ce qui prouvait que c'était un discours préparé et qu'elle avait peur d'en perdre le fil.

— Tout naturalisés que nous soyons, on nous traite en étrangers... Si ce n'était pas ceux du canal, nous n'aurions qu'à fermer l'épicerie... Vous qui arrivez tout droit d'Allemagne et qui ne faites rien pour passer inaperçu, au contraire…

Il sourit encore. C'était vrai ! Il éprouvait un malin plaisir à passer pour un étranger, à parler allemand, à réclamer aux terrasses d'autres consommations que les autres, à aller par les rues nu-tête, le col de la chemise ouvert, comme personne ne le faisait dans le quartier.

— Qu'est-ce que je disais ?

— Que je ne fais rien pour passer inaperçu…

Elle se pencha et observa à travers la vitre la femme d'à côté, Mme Guérin, qui balayait son morceau de trottoir en jetant des regards curieux à la maison Krull. Elle se demanda s'il y avait un nouvel incident, mais le silence du magasin la rassura.

— Vous savez aussi bien que moi ce qui s'est passé les derniers jours… Chaque fois qu'il y a un événement désagréable, c'est sur nous que cela retombe… Quand une épidémie de typhoïde a éclaté et que Joseph l'a attrapée comme les autres, les femmes du quartier prétendaient que c'était lui qui avait donné le mal à tout le monde…

Posément, comme au cours d'une discussion d'affaires, il écrasa sa cigarette dans le cendrier et en alluma une autre.

— À cause de l'histoire de cette petite, les esprits sont à nouveau montés contre nous…

Il salua la périphrase d'un battement de cils. *L'histoire de cette petite !* C'était l'agression, au bord du canal, Sidonie étranglée, déshabillée, violée, jetée à l'eau…

— Le commissaire a reçu des lettres anonymes…

Du moment qu'on ne trouve pas de coupable, pour certaines gens, c'est automatiquement quelqu'un de chez Krull…

Sa voix était moins sûre.

— Je l'ai compris dès le premier jour… J'ai prévu tout ce qui est arrivé et ce qui arrivera encore… On a eu hier un jour de calme, mais cela recommencera de plus belle.

— Qu'est-ce que Joseph a dit ?

Il préférait attaquer tout de suite. Tante Maria ne perdait pas complètement contenance, mais marquait néanmoins le coup.

— Joseph n'est pour rien dans cette sale histoire… J'en suis sûre… Il me l'a juré hier…

Donc, elle l'avait soupçonné, elle aussi ! Donc, elle redoutait un geste de ce genre de la part de son fils ! Or, elle le connaissait !

Les yeux baissés, Hans savourait sa petite victoire et tante Maria se croyait obligée d'insister :

— En quittant le commissaire, j'ai tenu à en avoir le cœur net… Joseph a peut-être des défauts, mais il n'a jamais menti… Il me suffit de le regarder dans les yeux pour savoir… Qu'est-ce que vous voulez dire, Hans ?

Car il venait d'esquisser une grimace.

— Rien, tante !

— Je répète que Joseph n'a rien fait et que, s'il existe certains témoignages contre lui, c'est justement parce qu'il a toujours été trop droit, et peut-être parce que nous l'avons élevé avec trop de sévérité…

Elle renifla, faillit prendre son mouchoir dans la

poche de son tablier mais résista, car c'eût été déjà presque une défaite.

— Quels témoignages ?

— Des bêtises… Des gamines comme cette petite à chapeau rouge qui laissent travailler leur imagination…

— Elle a dit, n'est-ce pas ? que ce soir-là, sur le champ de foire, Joseph les suivait, Sidonie et elle…

— Ces gamines se figurent toujours qu'on les suit… Peu importe, Hans ! Ce qui compte, ce sont les gens… Le commissaire, lui, sait le crédit qu'il faut attacher à ces ragots…

— Vous croyez ?

— Il me l'a affirmé…

— Et moi, je parie qu'il fait une enquête minutieuse…

Il faillit aller chercher le journal du matin et mettre l'entrefilet révélateur sous les yeux de sa tante.

— La question n'est pas là ! s'obstinait-elle. On aura beau faire toutes les enquêtes du monde, on ne trouvera rien contre Joseph ou seulement des choses sans importance… Ce qui me fait peur ce sont les gens… Ceux-là nous rendront la vie intenable… À moins…

Un silence. Elle était arrivée enfin au point culminant de cet entretien et elle était prise de vertige, elle se précipitait maladroitement vers la conclusion.

— Puisque vous devez partir de toute façon, autant aller tout de suite à l'étranger, en Allemagne ou ailleurs. Si vous quittez furtivement la ville, on vous soupçonnera presque à coup sûr…

La poitrine gonflée d'espoir sous son corset, elle

le regardait de toutes ses forces, comme pour le fasciner, pour lui arracher un oui.

— Vous n'avez rien à perdre ! Une fois de l'autre côté de la frontière…

Ainsi, c'était à cela qu'elle voulait en venir ! Hans, qui ne s'étonnait pas facilement, en était pourtant ébloui. Il admirait sa tante qui avait monté tout ce discours pour en arriver à lui déclarer :

— Nous pourrions vous faire mettre en prison pour escroquerie. Vous avez abusé de Liesbeth. Vous avez jeté le trouble et le désordre dans la maison, mais tout cela n'est rien si vous acceptez de jouer le rôle de bouc émissaire et d'éloigner de Joseph les soupçons qui pèsent sur lui !

Joseph, pour qui cette femme avait imaginé ce plan, en devenait plus grand. Et pendant ce temps il était là-haut, près de sa fenêtre ouverte, penché sur des cahiers !

Dans la cuisine, Anna et Liesbeth attendaient.

— Comme je connais les gens, je suis sûre qu'ils nous laisseront tranquilles… acheva-t-elle sourdement, tournée vers la fenêtre.

Et le mot *gens*, qui revenait sans cesse dans ses discours et dans les conversations de la maison, prenait chez les Krull une résonance à part, un sens presque redoutable. Les gens, c'était tout le reste de l'humanité, c'était l'océan vivant qui entourait l'îlot de la famille. Cela commençait chez les Guérin et cela s'étendait jusqu'aux bornes du monde.

— Les gens nous laisseront tranquilles…

C'est-à-dire que l'orage s'éloignerait avec Hans…

— Qu'est-ce que Joseph vous a dit au juste, tante ?

161

Il n'était plus l'accusé. Il n'avait plus besoin de crâner. C'était lui, au contraire, qui posait les questions d'une voix incisive.

— Regardez, Hans…

Sa tante lui montrait le quai, au-delà du rideau de tulle, l'écluse où régnait toujours, chez les mariniers désœuvrés, une sourde effervescence. Parmi eux on distinguait la silhouette vulgaire de Pipi qui pérorait. On avait l'impression d'entendre sa voix. On devinait qu'elle racontait à son nouvel auditoire l'histoire de sa fille et elle tendait parfois le bras vers la maison des Krull.

— Je vois…

— Même le chômage du canal qui finira par retomber sur nous !… Tandis que si vous partiez…

— Qu'est-ce que Joseph vous a avoué ?

— Pourquoi m'aurait-il avoué quelque chose ?

— Parce qu'il a pleuré, parce qu'il s'est jeté à genoux devant vous, puis qu'il a eu une crise de nerfs et qu'il a dû s'étendre sur le lit…

Elle se tut.

— Il connaissait Sidonie, n'est-ce pas ?

— Il lui avait adressé deux fois la parole, dans la rue… C'est son amie qui l'a appris au commissaire… Elle prétend que toutes deux se moquaient de lui parce qu'il était gauche avec les femmes…

— Et ce soir-là ?

— Qu'est-ce que vous avez, Hans ? Pourquoi me regardez-vous ainsi ?

— Parce que je veux savoir !

— Vous croyez que… ?

— Je ne crois rien ! Je sais que Joseph n'est pas

un homme comme les autres… Je me doute de ce qu'il pouvait faire le soir dans les rues car, avant cet événement, il sortait tous les soirs, n'est-il pas vrai ?

— Il allait prendre l'air !

— Et il n'avait pas d'amis, pas même à l'université…

— Parce qu'on lui reproche toujours d'être allemand !

— Il n'avait pas de bonne amie non plus…

— Il est trop timide…

Elle répondait malgré elle et s'en voulait. Et lui restait assis dans une pose nonchalante sur le coin de la table, froissant un napperon de broderie.

— Qu'est-ce qu'il vous a encore dit ?

— Je vous assure… Si vous insistez…

Elle regardait la porte, le plafond. On pouvait croire qu'elle allait appeler son fils à la rescousse.

— Vous devez comprendre, tante, que je ne suis pas un imbécile… Je l'ai vu, quand nous passions ensemble près d'un couple enlacé sous un bec de gaz… Ses mains se sont mises à trembler… Pendant tout un temps, il est resté sans parler… Et cela lui fait le même effet de marcher derrière une femme qu'on devine à peu près nue sous sa robe, ou de regarder une fenêtre au-delà de laquelle une silhouette féminine se profile… J'ai eu un camarade, en Allemagne…

— Taisez-vous, Hans !

— Mon camarade, lui, c'était la vue d'une jambe… Et jusqu'au moment où il pouvait enfin…

— Hans !

— Tenez ! Je parie que Joseph se cachait dans les encoignures pour regarder les couples s'embrasser...

Elle dut s'asseoir et, cette fois, elle tira son mouchoir de sa poche, mais c'était pour s'éponger.

— Il n'a pas tué ! affirma-t-elle. Il me l'a juré...

— Alors, pourquoi a-t-il si peur ?

Elle lui jeta un long regard qui ne ressemblait en rien à ceux qui avaient précédé. Elle était à peu près vaincue. Elle semblait lui demander :

— Je peux avoir confiance ?

Car l'invraisemblable se produisait et tante Maria, la méfiance incarnée, subissait l'influence de Hans, balbutiait enfin :

— Il ne m'a rien caché... Il l'a suivie... Il voulait lui parler encore une fois, mais en dehors de la présence de son amie qui se moquait de lui... Il m'a avoué qu'il était attiré par cette fille parce qu'elle était tuberculeuse comme lui...

Hans écoutait, aussi grave qu'un médecin.

— C'est seulement sur le quai qu'il a remarqué que quelqu'un d'autre la suivait aussi, un homme trapu qui portait un chapeau de feutre...

— Continuez, tante !

Elle dut s'interrompre pour pleurer à petits coups, plus encore par lassitude qu'à cause de son chagrin, puis elle leva vers lui un regard suppliant.

— Pourquoi voulez-vous que...

— Qu'est-ce qu'il a vu ?

— C'est ma faute ! Si je l'avais laissé fréquenter les filles, comme les autres, ce ne serait pas arrivé. Et moi je ne pensais qu'à sa santé ! Quand il était petit,

164

il ne se faisait pas et à l'école il était sans cesse malade…

— Il s'est caché, n'est-ce pas ?

— L'homme avait accosté cette gamine et lui parlait. Il paraît qu'au début elle n'avait pas l'air de le repousser, puisqu'elle est allée jusqu'au bord du canal avec lui.

» C'était près d'un tas de briques qui est encore là. Ils se sont embrassés. L'homme est devenu plus entreprenant et la petite s'est débattue…

Dans quels termes Joseph avait-il raconté cette même scène à sa mère ?

— Ils ont roulé par terre tous les deux… *Il* n'a pas vu que l'autre l'étranglait… *Il* croyait…

— Et il est resté jusqu'au bout ?

— Quand il a compris, il était trop tard et l'homme traînait le corps jusqu'au canal. Joseph n'a pas vu son visage. D'après lui, il avait l'air d'un rôdeur… Il était habillé comme les vagabonds qui errent dans les campagnes…

— Et les lettres anonymes ?

— C'est toujours la même histoire… Des gamines qui ont avoué à leurs parents que Joseph les suivait, ou qu'il leur avait adressé la parole… On pourrait en dire autant de tous les jeunes gens… Si Joseph avoue à la police qu'il était là… Hans ! Vous nous avez déjà fait beaucoup de mal… Ma pauvre Liesbeth, désormais…

Elle pleura encore un peu.

Et, dans son mouchoir qui déformait sa voix :

— Il faut que vous sauviez Joseph… Il le faut,

entendez-vous ?… Il faut que vous partiez, que les gens cessent de s'occuper de nous…

Il crut un instant que tante Maria allait se jeter à ses genoux, comme Joseph l'avait fait la veille devant elle.

Un marinier en sabots entrait lourdement dans la boutique.

9

Comment Maria Krull avait-elle senti que ces pas-là n'étaient pas d'honnêtes pas de client mais qu'ils apportaient une menace ? Il avait suffi de quelques heurts de sabots sur le sol et déjà elle abandonnait un drame pour un autre auquel elle tendait l'oreille. Son regard devenait plus aigu, elle oubliait Hans, elle courait, en esprit, vers la boutique et le corps suivait l'esprit. Hans ne devait jamais oublier cette image d'elle, aussi lourde, aussi définitive que les portraits d'album : elle avait atteint la cuisine et elle se tenait debout contre un des battants de la porte vitrée. Cette porte était tendue d'un fin rideau et la lumière auréolait les cheveux gris cependant que le visage, à contre-jour, était plus modelé et plus ferme.

L'autre battant de la porte était entrouvert et tante Maria, la tête penchée, guettait l'ennemi, prête à s'élancer au secours d'Anna.

L'homme était un marinier qu'on avait vu quelques instants plus tôt se détacher du groupe que Pipi excitait. Déjà à l'école de son village il devait faire le faraud, guetter les applaudissements et les rires, défier l'instituteur ou l'institutrice de son regard d'orgueilleux imbécile.

— … Vous allez voir !… leur avait-il lancé, les moustaches humides, les yeux luisants.

Et tandis qu'il traversait le terre-plein, il était tout gonflé de sentir les regards fixés sur lui, il se retournait pour s'en assurer, esquissait un signe comme pour dire à la galerie :

— N'ayez pas peur !… Vous allez voir !…

À mesure qu'il s'approchait de la boutique il n'en ralentissait pas moins le pas au point d'entrer à peu près au rythme d'un client ordinaire.

Anna était au comptoir. Liesbeth se tenait dans un coin du magasin, pour ne pas rester seule dans la cuisine ou dans sa chambre. Toutes les deux étaient pâles, barbouillées d'inquiétude.

— Qu'est-ce que c'est ? demandait cependant Anna qui n'avait rien senti.

Elle s'étonna de voir l'agent, qui d'habitude se tenait à cinquante ou cent mètres, se camper juste devant la vitrine et regarder au travers de celle-ci.

— Un pernod !

Anna chercha parmi les bouteilles. C'était le moment où tante Maria prenait place derrière la porte.

Son verre servi, le luisant imbécile le saisissait en regardant Anna d'un œil goguenard, lançait le liquide à travers la boutique et reposait le verre sur le comptoir.

Il était content ! Il fixait Anna dans les yeux, tout

fier de défier une jeune fille, essuyait ses moustaches et prononçait enfin :

— Ça me ferait mal de boire dans la maison d'un assassin !

Anna tourna machinalement la tête vers la cuisine et aperçut sa mère dans l'encadrement de la porte. L'homme la vit peut-être aussi ? En tout cas, il se dirigea vers la porte. Sur le seuil, l'agent hésitait, se contentait de grommeler :

— Allons ! filez... Pas de scandale !...

À quel moment Hans était-il monté au premier étage ? On n'aurait pu le préciser. Il disparaissait ou surgissait toujours sans bruit, sans remuer l'air. Maria Krull constatait qu'il n'était plus dans la cuisine ni dans le salon, allait jusqu'au bas de l'escalier et l'entendait qui tournait doucement le bouton de la porte de Joseph.

Hans ne le faisait pas exprès pour surprendre. La porte ne craquait pas. Ses semelles se posaient silencieusement sur le plancher.

C'était lui qui était surpris devant le silence de la chambre, qu'il prit un instant pour du vide. Devant la fenêtre un cahier était ouvert, près d'une petite bouteille d'encre verte et d'un porte-plume au bout rongé. Mais il n'y avait personne sur la chaise, personne dans cette partie de la chambre où les arbres verts du dehors se reflétaient dans l'armoire à glace et où les aiguilles d'une pendule en marbre noir étaient figées depuis une éternité sur midi moins dix.

Joseph était là, pourtant, étendu tout habillé sur son lit, plus long que jamais, ses grands pieds chaussés de pantoufles jaunes. Une de ses mains pendait par terre, sur la carpette à fond rouge, et un souffle régulier s'exhalait de sa bouche ouverte.

C'était le seul coin de la maison qui sentît l'homme, la sueur, le tabac refroidi. Hans, en passant, jetait machinalement un coup d'œil sur le cahier aux pages couvertes de la petite écriture de Joseph. Un titre était écrit en ronde :

Le type anatomique des lésions

Mais il n'y avait encore rien en dessous, sinon des traces de doigts, du papier fatigué devant lequel un homme avait dû rester longtemps, le front buté, à penser à autre chose. En marge, Joseph avait fini par écrire, au crayon, d'une écriture différente de celle du cahier : *Il suffirait peut-être de pouvoir gifler un agent dans la rue, ou mentir sans rougir, ou...*

Cela finissait par un dessin qui ne représentait rien, un de ces dessins compliqués qu'on trace quand l'esprit est ailleurs.

Puis il était allé étendre son corps morne sur le lit sans en retirer la courtepointe. Avait-il beaucoup dormi les nuits précédentes ? Vraisemblablement non. Le sommeil l'avait pris enfin, un lourd sommeil diurne. Sa chemise blanche, ouverte sur le cou, était mouillée.

Il y avait une chaise près de la table de nuit et Hans, qui s'y était assis, contemplait son cousin. Il ne bougeait pas. On ne pouvait pas l'entendre et pourtant, du fond de son sommeil accablé, Joseph sentait une présence étrangère et il revenait lentement à la surface, un frémissement courait sur sa peau moite, sa pomme d'Adam s'agitait, enfin un regard filtrait entre les cils.

Quand il reconnut Hans, il fit un effort pour s'éveiller plus vite, se frotta le visage de ses mains, questionna d'une voix pâteuse :

— Qu'est-ce que vous voulez ?

Or, Hans souriait sans le vouloir. Ce n'était pas un sourire à proprement parler, mais quelque chose de très léger, un peu d'attendrissement, un tout petit peu d'ironie.

Le grand corps de Krull se pliait en deux. Les pieds touchaient terre. Il restait encore un moment assis au bord du lit.

— Vous êtes content, maintenant ?

Avec la meilleure volonté du monde, Hans n'aurait pas pu expliquer pourquoi il y avait toujours cette fine lueur de gaieté sur son visage, comme un reflet du matin, du ciel bien lavé, de l'air limpide qui s'étendait à l'infini au-delà de la fenêtre, plein de sons et de vie.

Il venait de voir Joseph dormir. Il le voyait mal éveillé, timide et sournois. Il ne pouvait s'empêcher de lui dire :

— Imbécile !

Et son regard ne quittait pas son cousin. C'était un spectacle prodigieux que celui de Joseph qui se levait, inquiet, jaloux, amer, et de comprendre tout ce qui se passait en lui, les moindres mouvements, jusqu'à ceux dont Joseph ne s'apercevait pas lui-même !

Voilà ce qui était extraordinaire : Hans aurait pu être Joseph ! Il était capable d'être à la fois Joseph et

Hans ! Il aurait pu, à lui tout seul, jouer les deux rôles, donner les répliques de l'un et de l'autre dans la conversation qui s'amorçait.

Tandis que Joseph, lui, n'était que Joseph !

Il était debout, sa tête plus haut que la lampe électrique qui pendait au-dessus de la table. Son visage luisait encore de la buée du sommeil et sa chemise restait fripée dans le dos.

— Je viens d'avoir une longue conversation avec tante Maria, commença Hans en se levant et en s'approchant de la fenêtre.

Il s'assit sur l'appui et alluma une cigarette.

— Qu'est-ce que ma mère a dit ?

— Tout !… Elle voudrait que je m'en aille pour qu'on me soupçonne, car elle se figure qu'ainsi on laisserait la maison tranquille… C'est idiot !

Et Joseph, tête basse, la voix sourde :

— On n'a pas le droit de nous inquiéter !… Je n'ai rien fait…

S'il avait été moins grand, le spectacle eût été moins pitoyable. Mais il était énorme et sa tête, quand il la baissait de la sorte, avait l'air de pendre au bout de son long cou.

Jusqu'alors, dans ses rapports avec Hans, ce qui avait dominé, c'était la haine et la méfiance. La haine de quelqu'un qui se sent inférieur, qui enrage de le sentir, qui considère cette infériorité comme une injustice et qui est pourtant incapable de réagir.

Une haine à base d'admiration involontaire, d'envie !

Et voilà qu'aujourd'hui, devant un Hans qui savait

tout et qui le dominait de son sourire olympien, il en
était réduit à balbutier :

— … Je n'ai rien fait…

— C'est bien ce qu'il y a de plus ridicule !

La voix ne pouvait s'empêcher d'être sarcastique.
Hans regardait dehors, voyait Pipi se détacher du
groupe, se mettre en marche vers la maison.

Et Joseph se débattait contre lui-même, contre
sa timidité, contre son humilité, contre l'admiration
jalouse qu'il vouait à son cousin, à sa désinvolture, à
son cynisme.

— Du moment que je n'ai pas tué cette fille…

— C'est toi qu'on soupçonne et qu'on continuera
à soupçonner…

Il venait de tutoyer Joseph pour la première fois,
non par mépris, sur un ton de supériorité, mais au
contraire parce qu'ils s'étaient soudain rapprochés.

— Il suffit que je sois étranger ! ripostait Joseph.
C'est toujours la même chanson ! Chaque fois qu'il
y a quelque chose dans le quartier, c'est sur nous que
ça retombe…

Hans était à la fois dedans et dehors. Il suivait Pipi
des yeux, imaginait le front et les cheveux gris de
tante Maria guettant l'ennemie par-dessus l'étalage.

Mais il ne perdait rien du spectacle de Joseph qui
se dégageait peu à peu des mollesses du sommeil.

— Ce n'est pas parce que vous êtes étrangers…
proférait-il en homme qui détient la vérité et que le
doute n'effleure pas. C'est parce que vous l'êtes trop
peu !… Ou alors que vous l'êtes trop…

On entendait résonner le timbre de la boutique.
Liesbeth et Anna devaient être dans la cuisine, à

regarder à travers le rideau de tulle. L'agent se rapprochait de la vitrine.

— Nous sommes trop peu étrangers ? répétait Joseph en fronçant les sourcils.

— Ou trop !... Vous ne l'êtes pas franchement... Vous êtes des étrangers honteux... Comme vous êtes des protestants honteux... Vous venez vous installer chez les gens et vous voulez faire comme eux... Vous les imitez gauchement, en sachant que ce ne sera jamais ça... Et ils le sentent aussi... Je parie que le 14 juillet vous arborez plus de drapeaux que les autres et qu'à la Fête-Dieu vous semez des pétales de roses dans la rue... Les gens vous en veulent davantage que si vous ne faisiez rien du tout, que si vous baissiez franchement vos volets...

Il se taisait un instant. Il n'entendait rien. Cela lui coûtait de perdre une partie du spectacle, de ne pas savoir ce qui se passait entre sa tante et Pipi.

— Si nous étions agressifs, ce serait encore pis ! protesta Joseph.

Il était presque apprivoisé. Du moment que ce n'était plus lui qui était en cause, il reprenait son sang-froid, réfléchissait aux idées émises par Hans.

— Il ne s'agit pas d'être agressif, mais sûr de soi !... Comme les Juifs quand ils s'installent quelque part... Ils n'ont honte ni de leur nom, ni de leur nez... Ils n'ont pas honte non plus de leur commerce, de leur rapacité... C'est ainsi et pas autrement !... Tant pis pour les gens et pour ce qu'ils pensent !... Ils vivent entre eux et peu importe si les gamins, dans la rue, leur adressent des grimaces...

Il tressaillit. Le timbre venait de résonner à nouveau. On ne voyait plus l'agent de police sur le trottoir. Il était entré dans la boutique. La porte en restait ouverte. On l'entendait qui disait avec une sévérité feinte :

— Allons ! C'est fini… Ne restez pas ici…

— C'est elle qui a commencé ! glapissait Pipi. Elle a osé me reprocher la layette qu'elle m'a donnée quand ma pauvre fille est née… Une layette tout usée, qui avait déjà servi pour ses trois enfants…

— Sortez !… Venez !… Pas de scandale…

— C'est moi qui fais du scandale, à présent ?

L'agent l'emmenait et elle discutait encore tout le long du trottoir tandis que Hans regardait son cousin.

— Tu vois !

— Quoi ?

— Toujours la même chose ! Ta mère a pleurniché ! Elle a rappelé ses bienfaits ! Elle est assez bonne pour donner, mais pas assez pour l'oublier… Vous êtes des gens trop et pas assez…

Le plus extraordinaire, c'est qu'on lui reconnaissait involontairement le droit de juger de la sorte ! Joseph l'écoutait ! Joseph qui, la veille, voulait le mettre à la porte, discutait avec lui !

Il ricanait, il est vrai :

— Autrement dit, il faudrait être franchement malhonnête !

— C'est le mieux ! Ou franchement honnête… Mais on n'erre pas sur les quais, le soir, la démarche honteuse, pour regarder les couples qui s'embrassent dans l'espoir d'entrevoir un bout de chair…

Joseph détourna la tête et fit craquer ses longs doigts. Il hésita, finit par dire :

174

— Et ma sœur ?

— Liesbeth ? prononça candidement Hans.

— Oui, Liesbeth…

L'émotion venait de le reprendre et c'était l'émotion trouble, malsaine qui faisait frémir ses doigts quand on abordait certains sujets.

— Liesbeth est bien contente ! affirma Hans.

— Et après ? Et plus tard ?

— Elle se mariera sans doute un jour et cela n'aura plus d'importance…

— Le mariage ?

— Le mariage et le reste…

— Et si son mari l'apprend ?

Hans haussa les épaules, jeta sa cigarette dans la rue, en alluma une autre et regarda l'agent qui revenait tout seul après avoir éloigné Pipi.

Il devait être aux environs de onze heures du matin. Les marteaux du chantier Rideau frappaient à une cadence rapide et les trams s'arrêtaient de trois en trois minutes.

Joseph ne savait plus que dire, ni quelle contenance prendre. Il ne savait plus que penser de son cousin qu'il observait à la dérobée et dont il admirait l'assurance.

Il en avait gros sur le cœur. S'il l'avait pu, il aurait pleuré, pas seulement de tristesse mais de dégoût de lui-même et de tout, des gens, de la vie, de ce qu'il avait fait et de ce qu'il aurait voulu faire, dégoût de n'être, comme Hans l'avait déclaré, que trop ou pas assez…

Il y avait là une terrible, déprimante injustice car toujours, aussi loin qu'il remontait dans ses souvenirs, il avait voulu bien faire, toujours il s'était efforcé d'être comme les autres, mieux que les autres, d'être le meilleur élève à l'école, un enfant sage et respectueux à la maison, de conserver ses habits propres, de dominer ses mauvais instincts...

Et il était là, en position d'accusé devant ce Hans qui avait son âge et qui le regardait d'un œil goguenard, le dépassait de tout son tranquille cynisme.

Par surcroît, il se sentait comme un hanneton au bout d'un fil. Il lui semblait que l'autre suivait sa pensée pas à pas pour le ramener vers lui au moment où il le voudrait.

Il ne parvenait plus à le haïr. Il le subissait. Il en arrivait presque à lui demander conseil !

— Pourquoi as-tu raconté tout ça à ta mère ? questionnait Hans en regardant la chambre comme pour reconstituer la scène de la veille.

— Le commissaire le lui avait dit...

— Quoi ?

— Tout !

— Mais au juste... ?

— Ces histoires de gamines qu'il m'arrivait de suivre le soir... Je n'ai jamais été capable de les accoster... Je ne savais que leur dire... Je sentais qu'elles éclateraient de rire au premier mot...

— Et maintenant ?

— Quoi, maintenant ?

— Qu'est-ce que tu vas faire ?

Le regard de Hans pesait sur son cousin. On ne pouvait pas dire qu'il était apitoyé, mais il comprenait, il réfléchissait, s'ingéniait à jouer les deux rôles, à sentir comme Joseph, à prévoir ses réactions.

— Quand le commissaire m'interrogera, je lui avouerai la vérité !

— Alors, tu es fichu !

Il avait employé le mot allemand : *kaput !*

— Pourquoi ?

— Parce qu'on ne te croira pas.

Hans n'avait aucune envie de voir cet entretien se terminer. Il était bien, sur son appui de fenêtre, un rayon de soleil dans le dos.

Et Joseph, de son côté, aurait été désorienté si soudain son cousin l'avait abandonné à lui-même. Depuis quelques minutes, depuis que Hans était entré dans la chambre, il y avait quelque chose de changé. Joseph n'était plus seul avec sa honte, avec ses remords, ses colères, ses indignations, avec toutes ces pensées et ces sentiments qui le rongeaient depuis plusieurs jours.

Ce qu'il y avait d'apaisant, c'est qu'avec Hans les mots prenaient un autre sens, presque aérien, les faits perdaient leur crudité et jusqu'à leur importance. À la rigueur, on aurait pu parler sans émotion de Sidonie et de la façon dont le drame s'était déroulé !

— On ne te croira pas parce que ce n'est pas vraisemblable. Pour les gens, un jeune homme a des bonnes amies et ne se contente pas de regarder faire les autres. Quand tu me regardais, avec ta sœur, par la serrure…

Joseph osa lever les yeux, attendant la question.

— Je parie que tu n'étais pas tellement en colère, n'est-ce pas ?

Hans était bienveillant. C'était lui qui décidait si les choses étaient bonnes ou mauvaises, honteuses

ou non. Il jonglait avec elles comme avec sa cigarette qui passait d'un coin de ses lèvres à l'autre et
qu'on s'attendait toujours à voir tomber.

— Tu es malgré tout un peu dégoûtant… Ta mère
aussi en définitive, puisqu'elle sait que j'ai couché
avec sa fille et qu'elle ne m'en demande pas moins
un service…

Joseph ne protesta pas. Il était pris dans un engre-
nage. Du moment qu'il avait accepté certaines
phrases, certains jugements, il était forcé de subir les
autres.

— Je t'assure que vous êtes de drôles d'individus
et qu'à la place des gens du quartier je vous regarde-
rais d'un sale œil… Tante Maria fait des sermons à
Pipi mais lui sert à boire… Car enfin, s'il n'y avait
personne pour lui vendre de l'alcool, Pipi ne pourrait
pas se soûler !…

Que devaient-elles penser, en bas ? Sans doute,
comme la veille, quand tante Maria était dans cette
même chambre avec Joseph, Liesbeth et Anna regar-
daient-elles parfois le plafond en se demandant quel
drame se jouait au-dessus.

Or, il n'y avait pas de drame du tout. Il y avait une
banale chambre de jeune homme. Il y avait Joseph
qui faisait les cent pas, penchant chaque fois la tête
pour ne pas heurter la lampe électrique, s'arrêtant de
temps en temps en face de son cousin.

Et Hans qui bavardait…

Car il bavardait, du bout des lèvres, laissant couler
les phrases à mesure qu'elles lui venaient, que son
cousin les lui inspirait.

— Tu vas épouser Marguerite ?

Eh oui ! Marguerite et la petite maison que leur achèterait M. Schoof !

Une cage vernie et pimpante ! D'où Joseph regarderait tout ce qui lui faisait envie.

Et tout lui faisait envie !

Comme à Hans.

Mais Hans, lui, se servait ! Il avait même eu envie de vivre dans une maison comme celle des Krull, plus ou moins longtemps, d'en renifler les bonnes odeurs, de scandaliser Anna, d'effrayer tante Maria, de pousser Joseph à bout et de faire l'amour avec une Liesbeth à qui il apprenait les pratiques les plus obscènes.

Il en avait eu envie et il l'avait fait !

Et quand il aurait envie d'aller ailleurs…

— Tu comprends, Joseph, à mon avis tu seras toujours malheureux…

— Parce que je ne suis pas comme les autres ! s'emporta Joseph. Parce que je suis un étranger partout ! Parce que je sens autrement ! Parce que je n'ai pas de patrie, pas de compatriotes, pas de gens qui pensent comme moi ! Parce que je suis né dans une sorte d'îlot et que ma famille est incapable de me comprendre… Est-ce que je pourrais expliquer à mon père… ?

Hans sourit. Cette idée d'expliquer au vieux Cornélius les histoires de petites filles était amusante.

Joseph aussi était amusant, avec sa bonne foi monumentale, son idée fixe d'être une sorte de paria, sa soif de conformisme, son besoin de s'intégrer à un ordre déterminé, de se sentir les coudes avec la foule et d'être approuvé par elle.

— … Depuis l'école gardienne on me tient à l'écart…

— Moi, je le fais exprès ! affirma Hans.

— Quoi ?

— D'être autrement que les autres ! C'est pourquoi les autres me respectent… Si j'étais venu gentiment vous demander l'hospitalité en avouant que je n'avais pas un centime et que je ne savais plus que faire… Et si j'avais dit à Liesbeth qu'elle était jolie et que j'en étais amoureux au lieu de la renverser sur son lit…

Il s'était retourné et il constata :

— Bon ! Voilà l'autre…

L'autre, c'était Germaine, avec toujours son odieux chapeau rouge. Encore une qui se prenait au sérieux, qui croyait que c'était arrivé ! À peine sortie de son magasin de chaussures, elle racolait une amie ou l'autre et s'en venait surveiller les Krull !

Car ils lui appartenaient un peu. C'était grâce à son témoignage qu'une enquête était ouverte à leur sujet. Elle appréciait l'importance de son rôle et, roulant ses grosses fesses comme une matrone, laissant fuser des éclats de rire de putain, elle faisait les cent pas devant la maison en chuchotant Dieu sait quoi à l'oreille de ses compagnes.

Sidonie était morte et elle avait recueilli, avec son héritage, le devoir de la venger ! Elle avait hérité aussi des petites amies aux jambes grêles qui s'accrochaient à ses bras et à qui elle murmurait des renseignements plus ou moins précis sur les hommes et l'amour.

— Je parie que tu aurais été capable de la suivre comme l'autre… disait Hans, toujours sur le rebord de la fenêtre. Ce qu'il lui faudrait, à celle-là, c'est une bonne fessée et je me demande si je ne me déciderai pas à la lui donner…

Il éclata de rire devant la tête que fit son cousin à cette perspective.

— Non, Joseph, protesta-t-il. Ne t'excite pas ainsi dès qu'il s'agit d'une femme ou d'un derrière…

Joseph, plus que jamais, fut sur le point de pleurer. Ses doigts avaient tremblé. Il avait rougi. Maintenant, il ne savait plus. Il avait envie de supplier Hans de s'en aller à l'instant et il était capable de le retenir.

Il en avait peur et il avait besoin de lui. Depuis qu'ils étaient deux dans cette chambre, depuis que des mots suffisaient à dissiper des brouillards, à faire s'évanouir des angoisses, à rendre d'une simplicité désarmante des idées compliquées, il appréhendait la solitude.

Il n'était pas vaincu, cependant. Il surveillait son cousin, cherchait des arguments contre lui, s'ingéniait à le détester malgré tout.

Tous deux oubliaient les trois femmes, en bas, et Cornélius dans son atelier avec l'ouvrier.

La chambre était presque devenue une vraie chambre d'étudiant. Hans jetait son bout de cigarette par terre, suivait Germaine des yeux et haussait les épaules.

— Du moment qu'on se prend au sérieux… commença-t-il.

Il s'interrompit, vit Joseph qui attendait la suite.

— Eh bien ?

— Rien… Je trouve que ce n'est pas la peine…

C'était lui, Hans, qui avait marqué une hésitation et qui fixait un point du plancher.

Du moment qu'on se prend au sérieux... Et après ? Pourquoi était-ce son tour d'être barbouillé ? Pourquoi venait-il d'évoquer la petite maison neuve que M. Schoof destinait à Joseph et à Marguerite ?

— Il n'existe pas moins des choses qu'on est bien forcé de prendre au sérieux ! soupira Joseph. Quand, par exemple, on a un poumon atteint...

Ils tendirent l'oreille. Ils venaient d'entendre, ou plutôt de deviner un froissement de jupe dans l'escalier. Il y avait quelqu'un derrière la porte. Le bouton tournait.

— Vous êtes ici ? murmurait tante Maria en les regardant l'un après l'autre.

Elle avait peine à cacher sa surprise, peut-être son inquiétude. Sans doute ne s'attendait-elle pas à trouver cette atmosphère dans la chambre de son fils.

Hans avait les deux pieds sur le rebord de la fenêtre où il se dessinait en profil. Joseph s'était accoudé à la cheminée, près de l'horloge qui marquait toujours midi moins dix.

Et tous les deux étaient graves, d'une gravité qui n'avait rien de tragique, d'une gravité de jeunes gens qui remuent en paix les éternels problèmes.

C'était si vrai que Joseph regarda sa mère avec étonnement, comme s'il eût remarqué pour la première fois certains détails.

Il questionna :

— Qu'est-ce qu'il y a ?

— Rien... Je venais voir si vous étiez prêts à déjeuner... Il est midi et demi...

Elle aurait aimé savoir et elle les observait tour à tour. Or, c'était le visage de son fils qui lui apportait le moins de renseignements. Joseph était impénétrable, buté, beaucoup plus calme que d'habitude.

Elle se rabattait sur Hans comme sur un complice, attendant de lui un geste, un signe quelconque qui la rassurerait.

Hans regardait dehors et refusait de répondre à son appel.

— Vous descendez tout de suite ?

— On vient… dit Joseph.

Un coup d'œil de sa mère au lit. Elle demanda encore, étonnée :

— Tu as dormi ?

— Je me suis reposé.

Elle avait vraiment l'impression d'être venue en gêneuse. Elle reculait. Elle répétait :

— Alors, venez…

Ils la laissèrent partir, écoutèrent ses pas décroître dans l'escalier. Puis Joseph chercha le regard de son cousin.

— Il faudra bien faire quelque chose, remarqua-t-il d'une voix hésitante.

Lui aussi attendait une réponse, et n'obtint qu'un geste évasif. Avant de descendre, Hans se pencha sur le cahier toujours ouvert à la même page, désigna du doigt les mots écrits en marge :

Il suffirait peut-être de…

Il sourit gentiment, sans presque d'ironie.

Ils descendirent l'un derrière l'autre.

Et quand ils prirent place à table, les trois femmes les observèrent avec quelque inquiétude, comme si elles avaient senti qu'il y avait désormais entre eux des liens qui n'intéressaient pas le reste de la maison, qui les unissaient peut-être contre celle-ci.

Cornélius mangeait déjà, tenant sa barbe de la main gauche.

10

C'était la première fois depuis longtemps qu'on percevait dans la cuisine un ronron familier. Joseph mangeait avec des gestes naturels et lui qui depuis plusieurs jours n'osait plus regarder les autres, lançait des coups d'œil curieux à Anna, à Liesbeth, à son père, comme après une absence.

Ce midi-là, justement, il y avait de la choucroute et c'était un curieux hasard, car on en faisait rarement et elle allait jouer son bout de rôle.

Tante Maria avait engagé avec Anna une conversation sur la robe que celle-ci voulait se faire.

— Avec deux mètres soixante en grande largeur, tu auras assez…

— Il faut deux hauteurs, maman. Et si je veux donner un peu d'ampleur à la jupe…

Les échantillons étaient là, sur la nappe, entre les deux femmes, des petits bouts de tissus clairs. Liesbeth les avait longuement tripotés entre ses doigts en les tenant dans la lumière.

C'est à peine si, à ce moment-là, elle se demandait

ce que Joseph et Hans avaient pu se raconter aussi longtemps.

Et voilà que la porte de la boutique s'ouvrait. Le timbre résonnait. Tante Maria levait la tête, ainsi que Hans qui était toujours du même côté de la table qu'elle.

Dès qu'ils eurent vu à travers le rideau, ils échangèrent un coup d'œil. Les autres le surprirent et regardèrent à leur tour.

— J'y vais ! annonça tante Maria comme Anna repoussait déjà sa chaise.

Des deux hommes qui étaient entrés, l'un était le commissaire de police. Il portait, ce matin-là, un chapeau canotier et un veston d'alpaga soyeux. Court et gras, il était l'image parfaite du petit bourgeois qui, le long des berges, vient regarder pêcher à la ligne.

Son compagnon appartenait au même type physique, en moins poupin, en plus grognon, peut-être parce qu'il souffrait de l'estomac et du foie.

Tous deux étaient à leur aise. Quand Maria Krull entra, le commissaire de police venait de déboucher une bouteille qu'il avait prise sur le comptoir et il reniflait. Par curiosité, simplement ! On devinait qu'il avait annoncé à son compagnon :

— Vous verrez quelle drôle de boutique et quels drôles de gens !

Il était là comme en pays étranger, à trouver tout extraordinaire, y compris la banalité.

— Vous désirez ?…

— Je suis désolé de vous déranger, madame Krull. Monsieur est le commissaire central. C'est lui qui a été chargé de l'enquête au sujet de l'affaire que vous savez. Comme il a quelques questions à poser à votre fils…

À travers les rideaux, on découvrait la famille figée autour de la table.

— C'est à mon fils que vous désirez parler ? répétait tante Maria, méfiante.

Les deux hommes s'adressèrent un signe. Le commissaire central, celui aux maux d'estomac, tira un papier de sa poche et le tendit à Mme Krull, sans rien ajouter.

— Qu'est-ce que c'est ?

— Lisez !

— Je n'ai pas mes lunettes.

— Un mandat de perquisition…

— Perquisitionner quoi ?

— La chambre de votre fils, pour commencer…

Elle fut une seconde à se remettre. Puis elle se décida, se précipita vers la porte ouvrant sur le couloir.

— Venez par ici, messieurs… Je vais avertir mon fils… Entrez au salon, je vous en prie…

Un salon qui n'était pas extraordinaire. Du papier de tenture à petites fleurs, des étagères avec des bibelots, certains en verre filé, un chemin de table en broderie, un piano…

Et pourtant les deux commissaires reniflaient toujours comme s'ils avaient découvert un pays inouï et, à cause de la choucroute, celui au mauvais estomac déclara :

— Ça sent la *Bochie* !

Le premier regard de tante Maria, en rentrant dans la cuisine, ne fut pas pour Joseph mais pour Cornélius. Or, celui-ci comme s'il n'eût rien entendu s'essuyait la bouche et se levait paisiblement, se dirigeait vers le râtelier pour y prendre sa longue pipe en porcelaine.

— C'est quelqu'un pour toi, Joseph... J'ai fait entrer au salon... Tu devrais peut-être mettre un veston...

Joseph se leva avec beaucoup plus de calme qu'on n'eût pu en attendre de lui, eut un bref coup d'œil à la table familiale, comme pour en prendre une image complète et vivante.

On le vit disparaître dans le salon mais on ne put rien dire à cause de Cornélius qui traînait encore dans la cuisine.

Il fallait attendre. Normalement, il en avait pour dix à douze minutes avant de regagner l'atelier. Comprit-il qu'il était de trop? Il ne dit rien. La pipe aux dents, le pas mou, il préféra gagner sa cour.

La porte du salon s'ouvrait déjà. Joseph disait :

— Par ici... Je vais vous conduire...

Et c'était un vacarme que celui des trois hommes à la fois dans l'escalier, puis sur le plancher du premier étage.

Liesbeth essayait en vain d'accrocher le regard de Hans pour lui demander ce qui arrivait. Anna, résignée, avait commencé la vaisselle. Tante Maria venait de disparaître.

Le temps d'allumer une cigarette et Hans s'en allait à son tour, montait l'escalier quatre à quatre, poussait une porte qu'il n'avait jamais franchie, celle de la chambre de son oncle et de sa tante.

Il savait qu'elle communiquait avec la chambre de Joseph. Il n'avait pas fait deux pas qu'il apercevait tante Maria, debout contre cette porte, un doigt sur les lèvres.

Alors, sans faire craquer le plancher, il continua d'avancer et elle lui laissa une petite place, de sorte que leurs visages se touchaient presque.

— … Les vêtements que vous portiez le 17…

Et Joseph de répondre en ouvrant l'armoire à glace :

— Je ne possède que ceux-ci…

Deux complets gris, d'un même gris acier, trop larges, qui lui donnaient cette silhouette longue et molle, cette démarche flottante.

— Quel jour fait-on la lessive ?

On reconnaissait la voix du commissaire spécial tandis que l'autre, le dodu, s'était assis sur le rebord de la fenêtre, le dos au quai, dans la pose de Hans le matin.

— Le lundi, répliquait Joseph.

C'était impressionnant d'entendre sa voix, une voix normale, de le savoir seul avec deux policiers.

— Évidemment… grognait l'un d'eux qui avait tripoté les complets gris dans tous les sens.

Ce qui voulait dire qu'il n'y avait rien, qu'il s'attendait à ne rien trouver.

Entre le nez de Hans et celui de sa tante il n'y avait pas un espace de dix centimètres. Et autour d'eux c'était un décor que Hans ne connaissait pas encore, le plus lourd, le plus définitif de la maison, un décor où le moindre objet avait mis des mois ou des années pour trouver sa place.

C'est dans cette chambre-là que Joseph était né. Et elle était déjà telle quelle ! Et toute son enfance, toute son adolescence, il n'avait vu que des choses immobiles, éternelles, des meubles qui existaient depuis si longtemps qu'on n'y sentait plus le travail de l'homme, ni la matière sciée ou rabotée, des meubles qui étaient *le* lit, *l'*armoire, *le* buffet, *le* fauteuil du père…

— J'ai encore quelques questions à vous poser… Vous pouvez vous asseoir…

Hans supposa que l'homme tirait un petit papier de sa poche et il ne se trompait pas. Le commissaire central avait gardé son chapeau mou sur la tête. C'était sa mauvaise heure, aussitôt après le repas et parfois il esquissait une grimace.

— Connaissez-vous un certain Cloasquin ?

Ici, on sortait du domaine connu de Hans, mais il vit sa tante pâlir sous le coup, contenir un mouvement de colère.

Le nom ne portait-il pas en lui-même comme une menace ? Cloasquin ! Émile Cloasquin !

— Je l'ai connu à l'école, répondait Joseph dont les doigts avaient tremblé.

— À l'école d'où vous avez été renvoyé, je pense ?

Et le commissaire, après avoir regardé son bout de papier sale :

— Vous haïssiez Cloasquin, dont les parents tenaient une épicerie place Saint-Léonard. Il était plus petit que vous, plus faible. Vous l'avez guetté pendant des semaines et un soir qu'il passait devant un terrain vague vous vous êtes jeté sur lui, vous l'avez renversé et, le maintenant sur le sol par votre genou posé sur la poitrine, vous l'avez serré à la gorge...

— J'avais onze ans ! dit Joseph dont on s'étonnait d'entendre la voix.

— À la suite de cet événement, Cloasquin a fait une jaunisse et est resté un mois au lit, ce qui a retardé ses études d'une année.

Un étrange gamin, malingre, blondasse, avec une bouche trop grande et de tout petits yeux.

— Il ameutait tous les élèves contre moi en me traitant de boche...

C'était vrai. Le chétif Cloasquin, sûr d'avoir tous ses camarades avec lui, s'en était pris à Krull qui les dépassait de près d'une tête et il l'asticotait à chaque récréation.

Joseph, des mois durant, avait souffert patiemment puis, comme le commissaire venait de le raconter, il avait guetté son ennemi, l'avait terrassé, serré à la gorge en répétant :

— Demande pardon !... Je veux que tu me demandes pardon et que tu promettes de me laisser tranquille...

Et l'homme au mauvais estomac récitait paisiblement :

— Je note une seule chose : que vous l'avez pris à la gorge et qu'il s'est évanoui. Vous aviez onze ans, monsieur Krull !

Un silence. Hans voyait un œil de tante Maria tout

190

près du sien, et la peau de la joue, avec les pores, comme à travers une loupe.

— Autre chose…

Le petit papier était appelé à la rescousse.

— Connaissez-vous la Marcotte ?

Pas de réponse. Joseph avait-il marqué le coup ? Cette fois, tante Maria ne comprenait pas, attendait la suite avec curiosité.

— Vous ne niez pas ?… Vous connaissez cette femme qui, chaque soir, fait le trottoir au coin de la rue des Carmes… Vous vous êtes adressé à elle à plusieurs reprises et, si je ne me trompe, assez régulièrement…

Ce qu'il y avait de remarquable, c'est que Joseph était beaucoup plus calme, beaucoup plus à l'aise avec ces deux hommes agressifs qu'avec sa mère ou même avec Hans. Il épiait son ennemi, celui au chapeau mou, ne se pressait pas de répondre, attendait les accusations.

— La Marcotte nous a déclaré que vous ne lui demandiez pas tout à fait la même chose que les autres… D'habitude, elle conduit ses clients chez elle, impasse des Forgerons… Mais vous, vous aviez refusé de la suivre… Vous avez tenu à ce que cela se passât dehors, dans une encoignure… Et il en est ainsi chaque fois !… Voulez-vous que je vous lise sa déposition ?

— Ce n'est pas la peine.

— Vous reconnaissez ?

Un signe de tête. Joseph était toujours debout. Il ne les défiait pas. Il ne rougissait pas non plus. Il avait seulement l'air de réfléchir, d'essayer de deviner où on voulait le mener.

— De deux ! Connaissez-vous Jeanne Aubray ?

Il fit un effort, murmura enfin :

— Ce nom ne me dit rien…

— C'est la servante des Rideau…

Une fille magnifique, toujours dépoitraillée, sur qui tous les hommes se retournaient.

— Trois fois par semaine, Jeanne Aubray voit son amoureux près de chez ses patrons, sur le quai… Est-il exact que chaque fois vous êtes caché dans un coin et que l'amoureux, qui est maçon, a dû vous chasser et vous menacer d'une correction si vous continuiez à faire le voyeur ?

Pas de réponse. Joseph admettait le fait et Hans voyait toujours l'œil immobile de tante Maria.

— Ce n'est pas tout… Nous allons en arriver à Sidonie… Son amie Germaine l'accompagnait quand vous l'avez interpellée une première fois… C'était un soir qu'il pleuvait… Vous suiviez les deux gamines depuis longtemps… Elles riaient de vous sentir sur leurs talons… Brusquement, elles ont fait demi-tour… Vous êtes resté un instant dérouté, perdant contenance… Puis vous avez montré un billet de cinquante francs que vous teniez à la main… C'est exact ?

Pas de réponse. L'autre commissaire fumait sa pipe et examinait le jeune homme de ses gros yeux amusés.

— Ce n'est pas la seule fois que vous vous y êtes pris de la sorte avec des fillettes… Toujours, vous leur montriez de l'argent…

La voix de Joseph vint de très loin mais elle était nette, encore que morne.

— Parce que je n'osais pas leur parler !...

— Dites que vous ne vouliez pas leur faire la cour comme les autres jeunes gens mais que vous désiriez en arriver tout de suite à un résultat précis... Pour résumer, la nuit tombée, vous erriez sur le quai, à la recherche des couples et, tapi dans l'ombre, vous faisiez le voyeur... Après quoi, s'il passait une gamine, vous vous dressiez devant elle, sans trop savoir que dire, l'air d'un fou, selon l'expression de l'une d'elles, et si elle vous en donnait le temps vous exhibiez de l'argent. Quitte, en désespoir de cause, à aller trouver la Marcotte... Quel âge avez-vous ?

— Vingt-cinq ans...

— Et vous n'avez pas honte d'avoir des vices pareils à votre âge ?

— J'ai toujours vécu seul... balbutia Joseph, comme se parlant à lui-même.

Et, à l'étonnement de sa mère et de Hans, il parla, de cette voix monotone qu'il venait d'adopter.

Il ne baissait pas les yeux, regardait son commissaire en face, gravement.

— Quand j'étais petit et que j'occupais cette même chambre, la maison de droite n'était pas encore construite. Il y avait là un terrain vague et, tout contre le mur de notre maison, un talus d'herbe caché, du côté de la rue, par un morceau de palissade... C'est là que des couples venaient presque tous les soirs... Il y avait une femme dans le genre de la Marcotte qui allait chercher les mariniers autour des péniches et qui les amenait... De ma fenêtre, je regardais...

— C'est une raison pour les imiter toute votre vie ?

— Je ne sais pas… Peut-être que si on ne s'était pas moqué de moi… De toute façon, je n'ai jamais rien fait de répréhensible…

— Le 17 au soir, vous étiez sur le champ de foire, n'est-ce pas ?

— J'y suis passé.

— Vous avez suivi Sidonie et son amie…

— Je les ai aperçues de loin…

— Qu'avez-vous fait ensuite ?

— Rien. Je me suis promené…

La main de tante Maria se posa sur le bras de Hans et le serra.

— À quelle heure êtes-vous rentré ?

— Vers onze heures… Je n'ai pas regardé l'heure, mais j'étais certainement rentré à onze heures…

— Dans ce cas, je dois vous lire la déposition de votre voisine, Mme Guérin, la femme du menuisier…

Tante Maria se raidit et un instant on put croire qu'elle allait ouvrir la porte, jaillir dans la pièce, prendre la défense de son fils.

— … j'avais mes névralgies, qui me prennent à peu près tous les quinze jours… Je suis sûre de la date parce que c'était le jour de ma sœur, qui habite Tilly… À dix heures et demie, comme je ne parvenais pas à m'endormir, j'ai pris un cachet et je me suis accoudée à la fenêtre… Je me suis recouchée une demi-heure plus tard… Il y a un réveil lumineux sur la table de nuit, si bien que je voyais l'heure… Je souffrais toujours… À onze heures dix, j'ai pris un autre cachet et je suis retournée à la fenêtre… De

194

ma place, à cause des ombres, je ne pouvais apercevoir le bord du canal... D'ailleurs, il n'y avait pas de lune... Le cousin des Krull est rentré le premier... Il revenait de la ville en suivant le trottoir... C'est seulement longtemps après, alors que minuit venait de sonner et que j'allais me décider à me coucher, que j'ai vu Joseph Krull qui rentrait à son tour et il venait de la direction du canal...

Un silence plus impressionnant, la main de tante Maria qui se crispait sur le bras de Hans.

— Vous maintenez que vous étiez rentré à onze heures ?

— Oui.

— Vous déposerez en ce sens sous la foi du serment ?

— Oui.

Puis aussitôt, de la même voix :

— Non !

La main se détendit et tante Maria quitta un moment son poste d'écoute, parce que les jambes lui manquaient.

— Autant vous dire la vérité tout de suite... J'ai suivi Sidonie et son amie... Peut-être aurais-je encore fini par essayer ?... À ces moments-là, on espère toujours...

— Que le billet de cinquante francs fera son effet ! interrompit crûment le commissaire.

— Que le miracle se produira... Que tout ce qu'on a imaginé en marchant pendant des heures deviendra réalité...

Il n'avait pas honte, il rectifiait. Il savait mieux que les autres et il disait les choses comme elles étaient.

— Je crois qu'il arrive à tout le monde, en voyant passer une femme dans la rue, de recevoir une bouffée de désir, d'imaginer que ce désir se réalise, d'évoquer les moindres détails...

— La différence, c'est que cela n'arrive pas aux gens normaux pour chaque femme qui passe !

— C'est exact ! admit-il. Peut-être parce que la plupart des gens ont des dérivatifs. Moi...

Non ! C'était trop difficile à expliquer ! Surtout que les deux commissaires voyaient les choses autrement que lui, avec la dureté fausse des rapports de police.

— Ce soir-là, un homme s'est approché de Sidonie...

— Comment était-il ? s'informa ironiquement celui au mauvais estomac.

— Je l'ai mal vu... Assez grand, assez fort... mal habillé, je pense... Je les ai suivis...

— Parbleu !

— Pourquoi ?

— Pour rien. Continuez...

— Je n'ai pas compris immédiatement ce qui se passait. J'ai vu que Sidonie se débattait, mais je n'ai pas cru que c'était sérieux... C'est seulement après...

— À combien de mètres étiez-vous ?

— Je ne sais pas... Peut-être vingt ?...

— Et vous avez vu que l'homme traînait le corps vers le canal ?

— Oui !

— Et vous n'êtes pas intervenu ?

— Non !

— Et vous n'avez pas eu l'idée d'alerter la police ? Vous êtes allé vous coucher tranquillement ?

— Pas tranquillement !

— Le lendemain, vous n'avez rien dit, à personne, pas même à votre cousin ?

Il fit non de la tête. À la vérité, il avait rarement été aussi calme. Il se sentait le corps plus libre, comme après une purge. Libre et un peu vide, un peu flottant…

— Vous vous rendez compte de la gravité de votre déposition ?

— J'ai dit la vérité. Je n'ai jamais su mentir.

— Pour quelle raison n'avez-vous pas averti la police ?

— Parce que la police nous déteste, comme tout le quartier, comme mes compagnons de l'université, comme tout le monde…

Le commissaire central jeta un coup d'œil à son collègue qui haussa les épaules.

— Pour un oui ou pour un non, pour une minute de retard dans la fermeture du magasin, on nous dresse contravention…

— Vous n'avez rien à ajouter ?

— Rien.

— Vous reconnaîtriez l'homme qui a tué Sidonie ?

— Je ne sais pas.

— Vous n'avez parlé de ce que vous avez vu à personne ?

Joseph hésita. Tante Maria, qui s'était rapprochée

197

de la porte, eut un mouvement comme pour lui souffler sa réponse.

— À personne…

Puis un silence beaucoup plus long que les autres ; dans l'embrasure de la fenêtre, les deux commissaires se consultaient à voix basse.

— Nous ne pouvons pas prendre de décision pour le moment. Cela regarde le juge d'instruction et il est à la campagne. En attendant, vous êtes prié de ne pas vous éloigner de la maison. Celle-ci sera d'ailleurs surveillée…

La porte du palier s'ouvrit.

— Reconduisez-nous au salon…

À nouveau les pas des trois hommes dans l'escalier. Hans et sa tante attendirent qu'ils fussent en bas, descendirent à leur tour. Dans le corridor, ils se heurtèrent à Joseph qui sortait du salon et qui disait :

— Ils vous demandent, Hans !

Le commissaire en veston d'alpaga jouait avec les bibelots des étagères, et ceux-ci, qui étaient la banalité même, de ces objets qu'on gagne dans les loteries, prenaient entre ses doigts boudinés un caractère exotique.

Vraiment les deux hommes regardaient la maison comme s'ils n'en avaient jamais vu de semblables, comme si tout, gens et choses, était équivoque.

— Vous êtes le nommé Hans Krull, d'Emden ?

— Oui, monsieur le commissaire.

— Donnez-moi votre passeport… Merci ! Je l'emporte…

— Mais…

— Vous êtes entré en France sans visa et je suis obligé de transmettre vos papiers à la Sûreté nationale… En attendant que celle-ci prenne une décision, je vous interdis de quitter la ville…

— Bien, monsieur le commissaire…

— Appelez Mme Krull…

Celle-ci, qui écoutait derrière la porte, entra aussitôt.

— Quant à vous, lui déclara le commissaire central avec un regard hargneux, je vous conseille d'être plus prudente et d'éviter des incidents semblables à celui de ce matin…

— Mais, monsieur le commissaire, c'est cette femme qui…

— Je vous prie d'éviter les incidents… Si cette femme fait du scandale quand elle est ivre, vous n'avez qu'à ne pas lui servir à boire…

Il cherchait la sortie, se trompait de porte, pénétrait dans la cuisine où Anna avait étalé le patron d'une robe sur la table tandis que Liesbeth, assise devant elle, lui parlait à voix basse.

Et le commissaire avait l'air de penser :

— Drôle de maison !

Joseph était retourné dans sa chambre. Les deux hommes traversèrent la boutique. Tante Maria les suivait, essayant vainement de dire quelque chose pour adoucir.

Le commissaire central marquait un temps d'arrêt devant le bout de comptoir de zinc, donnait une pichenette au bec d'étain qui couronnait une bouteille.

— Quand on ne veut pas avoir d'ennuis, on ne tient pas une buvette…

Si bien que, lorsqu'ils furent partis, Maria Krull regarda sa propre maison avec des yeux nouveaux, y cherchant une tare. Même la cuisine qui, Dieu sait pourquoi, avait offusqué les policiers ! Même l'odeur ! Même le salon !

Pour un peu, elle se fût contemplée dans la glace afin d'essayer de découvrir ce qu'il y avait en elle qui expliquât leur grossièreté.

— Qu'est-ce qu'ils ont dit ? questionnait Anna des épingles entre les lèvres.

— Rien… Ne t'inquiète pas… Où est ton père ?

— Dans l'atelier…

— Il n'a rien demandé ?

Elle en profitait pour tisonner le poêle. Il y avait beaucoup de choses à faire, mais pas tout de suite. Il fallait d'abord se calmer. Joseph, là-haut, avait besoin de calme, lui aussi. Quant à Hans, on voyait qu'il n'avait pas davantage envie d'une explication immédiate.

La maison, soudain, semblait froide, presque sans vie, comme si un formidable courant d'air l'eût balayée. On ne reconnaissait plus les coins intimes, les objets familiers.

Qu'est-ce qu'elle avait donc de spécial et pourquoi inspirait-elle aux gens des sentiments agressifs ?

Il fallait, avant tout, donner à l'atmosphère le temps de se reconstituer, à la famille le temps de se sentir vivre de sa vie propre.

— Tu ne fais pas ton piano, Liesbeth ?

Exprès, elle le disait exprès ! Déjà quand il y aurait

la musique, comme les autres jours… Mais fallait-il ? Est-ce que les gens considéreraient ça comme un défi ou au contraire comme une preuve d'innocence ?

— Tu crois, maman ?

Tante Maria regarda Hans. Hans dit :

— Mais oui… Évidemment…

Il était surtout urgent de s'occuper, de ne pas aller et venir en se heurtant les uns aux autres, en se regardant avec des yeux de catastrophe. Joseph avait dit ce qu'il avait à dire. Peut-être qu'il avait eu raison. Il fallait attendre pour savoir ce que cela donnerait.

Et ne pas regarder du côté du quai ! Ne pas s'en occuper !

— Tu veux que je t'aide ? proposait Maria Krull à sa fille. Va me chercher mes lunettes. Tu vas encore mesurer de travers…

Les notes du piano résonnèrent comme d'habitude. Hans prit le journal, avec l'idée d'aller le lire au soleil, dans la cour. Mais, comme il installait sa chaise près du seuil, l'ouvrier vint lui annoncer :

— Le patron vous appelle…

Cela lui donna un choc. On imaginait mal le silencieux Cornélius faisant comparaître quelqu'un dans son atelier.

Et pourtant c'était cela ! Il était à sa place, sur sa chaise basse aux pieds sciés, avec un panier à demi monté devant lui. L'ouvrier reprenait sa place, lui aussi, comme si, depuis les temps les plus reculés, il était entendu qu'il n'était jamais de trop. Et le fait qu'il était bossu, le fait que l'oncle ressemblait à saint Joseph, le silence de l'atelier, l'air frais, le cadre ensoleillé de la porte donnaient à la scène une étrange solennité.

— Hans, il faut que vous partiez… disait l'oncle tandis que le jeune homme s'asseyait sur la chaise qu'il avait adoptée lors de ses fréquentes visites.

— Que je parte ? Mais pourquoi ?

— Il faut que vous partiez…

Alors il se passa ceci : que Hans, qui faisait le malin avec tout le monde, ne fut plus devant le vieillard impassible qu'un gamin qui se débat maladroitement.

— Où voulez-vous que j'aille ? Si je retourne à Emden, qu'est-ce que je dirai à mon père ?

Pourquoi l'instinct lui fit-il sentir qu'il avait tort de parler ainsi ? Sans broncher, Cornélius glissa la main dans la poche de son tablier bleu, en tira une vieille carte postale qu'il tendit à son neveu. Elle était écrite en allemand. Elle datait de quinze ans. Au-dessous du texte, on avait collé un extrait du journal d'Emden qui relatait la mort dramatique de Peter Krull.

Cornélius ne regardait même pas son neveu pour connaître ses réactions. Seul l'ouvrier, comme l'Archange chargé d'exécuter les desseins du Seigneur, avait les yeux fixés sur le jeune homme qui s'efforçait de sourire.

— Je vous demande pardon… Il faut que je vous avoue tout… Je ne savais plus où aller… On me pourchassait à cause de mes opinions politiques et j'étais menacé du camp de concentration… Comme vous ne me connaissiez pas, je vous ai parlé de mon père… J'ai menti…

— Il faut vous en aller… répétait l'autre sans cesser de travailler, avec une obstination qui le rendait encore plus semblable à un saint gothique.

— Mais, oncle Cornélius…

Pour la première fois depuis longtemps Hans était démonté et un peu de sang colorait ses joues. Il venait de retrouver chez l'oncle quelque chose de son père, quelque chose d'indéfinissable, une sorte de calme buté, d'obstination patiente qui avait conduit l'autre Krull à son suicide tarabiscoté.

Quand Hans était petit, son père lui disait du même ton :

— Mange des épinards !

Il n'élevait pas la voix. Il ne menaçait pas, ne se fâchait pas. Il répétait sa phrase trois fois si c'était nécessaire et on finissait par obéir.

Est-ce qu'on avait jamais su ce qu'il pensait ? Est-ce qu'on savait maintenant ce que Cornélius avait derrière son front d'ivoire jauni ?

La carte qu'il avait montrée était de Bisschoff, le fabricant de poupées, qui habitait à Emden tout à côté de l'ancienne maison des Krull, la première, la petite échoppe de cordonnier. Il y avait donc quinze ans que Cornélius savait !

Et il n'avait rien dit ! À personne. Il avait jugé inutile d'apprendre à sa famille qui ne le connaissait pas que son frère s'était suicidé.

Il n'avait rien dit à Hans quand celui-ci était arrivé…

Qu'est-ce qu'il savait encore, qu'il ne disait pas ? Qu'est-ce qu'il pensait, toute la journée, dans son atelier, à côté de son archange bossu ?

Qu'avait-il compris du drame qui se jouait dans le reste de la maison et auquel chacun le croyait étranger ?

— Il faut vous en aller…

— Je ne peux pas partir tout de suite… La police a mon passeport…

— Il faut vous en aller…

— Je n'ai pas d'argent… Écoutez, oncle…

Hans se raccrochait à la maison. Il ne voulait pas partir ! Il s'affolait, cherchait des arguments, s'obstinait à faire fléchir cet homme impassible. Il perdait tout respect humain et oubliait volontairement le bossu qui entendait tout.

— Si vous me mettez à la porte, on me conduira à la frontière allemande… J'irai en prison… Je ne vous l'ai pas avoué, mais je suis recherché par la police…

Ce n'était pas vrai. Il forgeait à mesure ses arguments.

— Vous ne voudriez pas que le fils de votre frère soit mis en prison pour vol… Écoutez, oncle…

— Il faut vous en aller…

— Mais quand ? Je vous répète qu'on ne me laissera pas partir, que le commissaire vient d'emporter mon passeport… Je vous ai menti, c'est vrai… Mais qu'est-ce que je vous ai fait d'autre ?

— Il faut !

La logique des autres, la pitié comme les autres la comprennent, n'avaient rien à voir. Cornélius avait sa logique à lui, une logique aussi mystérieuse que celle du père de Hans. Et pas seulement sa logique ! Comment était-il fait pour pouvoir vivre toute sa vie dans cet atelier, plus en dehors du monde qu'un cloître, presque étranger à sa propre famille qui osait à peine lui adresser la parole ?

— J'ai quelque chose de grave à vous avouer, oncle… Si vous me mettez dehors, vous ferez le malheur de Liesbeth…

Il n'y eut pas de réponse. Tant pis ! Hans voulait rester. L'heure de partir n'était pas encore venue. Le drame n'était pas fini. Il avait besoin d'y assister jusqu'au bout…

Comme à Düsseldorf… Il en avait justement parlé… Chez sa cousine qui tenait une parfumerie… Elle avait un mari dans les chemins de fer, en uniforme bleu sombre… Il y avait aussi un violoniste qui jouait dans une *Konditorei* des environs et qui passait chaque jour à la même heure…

Hans aimait l'atmosphère de la boutique peinte en rose et bleu, dans des tons pastel. Il se complaisait dans cette ambiance féminine, dans l'arrière-magasin où opérait une manucure à l'œil brillant.

Il ne l'avait jamais eue, d'ailleurs. Elle était folle d'un simple agent de police qui était souvent de faction au coin de la rue et avec qui elle allait danser le dimanche.

Hans était heureux. Il avait servi d'intermédiaire entre sa cousine, une blonde assez fade, et le musicien. Il portait les billets. Il les excitait l'un et l'autre. C'était l'hiver, avec beaucoup de neige.

Le violoniste était venu plusieurs fois, l'après-midi, et Hans souriait en le voyant monter furtivement à l'appartement.

Puis, une nuit, sa cousine s'était réveillée en sursaut

alors que son mari était occupé à lui couper les cheveux. Elle n'avait pas compris. Un instant, elle avait cru qu'il était devenu fou, car c'était d'habitude un homme paisible.

— Ne bouge pas ! avait-il ordonné en lui montrant un revolver sur la table de nuit.

Il avait coupé les cheveux à ras.

— Tu verras la tête qu'il fera, ton amant, en te contemplant dans cet appareil… Enlève ta chemise… Enlève ta chemise !…

Il devait dire cela un peu comme l'oncle Krull répétait :

— Il faut vous en aller !…

Après :

— Descends, maintenant !… Ouvre la porte !… Je te dis d'ouvrir la porte… Bon ! Va le retrouver… File !…

Il l'avait mise dehors, toute nue, le crâne rasé, une nuit de décembre. Puis il était allé trouver Hans qui dormait à l'étage au-dessus, dans une ancienne chambre de bonne :

— Lève-toi !

Il lui avait donné deux gifles, sans colère, avec seulement du mépris.

— Va-t'en !

— Écoutez, oncle… Liesbeth et moi nous nous aimons…

Cornélius ne bronchait pas, tressait toujours l'osier immaculé.

— Si je pars, elle sera malheureuse, sa vie sera brisée…

Tant pis ! Il irait jusqu'au bout. *Il ne voulait pas quitter la maison !*

— Je vais tout vous dire… Nous sommes amants, Liesbeth et moi… De sorte que…

Il aurait juré que l'oncle le savait. Alors, il savait donc tout ?

— Partez…

— Aujourd'hui ?…

— Partez…

— Donnez-moi au moins jusqu'à demain… Je dois réclamer mon passeport au commissariat… Vous acceptez, n'est-ce pas ?… Demain, je vous promets…

Il était petit, tout petit garçon. Il regardait de travers. Il ne lui restait aucun prestige.

— Je vous promets que demain… répétait-il sans trop savoir ce qu'il disait.

Et il se levait. Il n'avait pas encore pu rencontrer le regard du vieux. Il allait à reculons jusqu'à la porte et lançait un coup d'œil haineux à l'ouvrier.

Dans le couloir, il fit des mouvements comme pour s'ébrouer. Puis, en s'approchant de la porte de la cuisine, il s'appliqua à siffloter, n'entra que quand il eut remis sa désinvolture au point.

11

Alors que chacun avait l'esprit en éveil, que depuis plusieurs jours on était à l'affût des moindres incidents et qu'on en arrivait à s'espionner les uns les autres, l'événement passa à peu près inaperçu. En tout cas nul, sur le moment, n'en pressentit les conséquences.

Le timbre du magasin avait retenti. Maria Krull, qui était dans la cuisine, avait jeté un coup d'œil à travers le rideau et, avant d'entrer dans la boutique, avait déposé les ciseaux sur la table. Anna, occupée à travailler avec elle, avait entrevu une cliente, une femme de marinier avec un enfant sur le bras et d'autres accrochés à ses jupes, et elle n'y avait pas fait attention.

— Qu'est-ce que tu veux, Louise ? soupirait Maria Krull en passant derrière le comptoir.

Elle retrouvait son ton d'avant tous ces drames, un ton triste et dolent. Elle semblait dire en contemplant sa cliente :

— Ma pauvre fille ! Te voilà encore mal portante ! Et tes gosses qui ne valent pas mieux…

Ce qui était d'ailleurs vrai. Celle qu'elle appelait Louise, c'était la femme du marinier du matin, de l'homme aux moustaches humides et à l'œil arrogant qui avait lancé son pernod à travers la boutique.

Il lui faisait un enfant tous les ans. Elle devait en avoir une dizaine de vivants et ils avaient le même air de chiens battus, la même résignation ahurie.

Quant à la mère, elle tenait une épaule plus haute que l'autre, à cause du dernier-né qu'elle avait éternellement sur le bras.

— C'est vrai qu'il est venu faire du bruit? commença-t-elle par dire, parce qu'il le fallait bien.

— Tu sais comment il est... Il était déjà soûl...

Tante Maria connaissait la plupart de ceux du canal. Certains se faisaient adresser du courrier chez elle et il y avait toujours, accrochée près du comptoir, une boîte vitrée pleine de lettres. Elle savait où ils allaient, ce qu'ils chargeaient. Elle savait aussi quand ils toucheraient de l'argent.

— Donne-moi cinq kilos de farine.

Maria Krull n'hésita pas. Elle pesa la farine blanche dans un grand sac en papier, prit dans le tiroir le gros calepin à élastique où elle inscrivait ses comptes.

— Je voudrais aussi cinq kilos de haricots et cinq kilos de pois cassés...

La Krull fronça les sourcils. Néanmoins, elle pesa encore et elle poussa le respect des usages jusqu'à donner un bonbon à chacun des enfants.

— Tu paies?

— Non! Nous reviendrons décharger la semaine prochaine...

Avec le crayon violet, tante Maria inscrivit la farine, les haricots et les pois à la suite d'une longue colonne.

— Mets-moi dix boîtes de sardines...

C'est ce qui déclencha tout le mal. Maria Krull agit comme elle aurait agi n'importe quel jour, machinalement. Elle leva la tête, surprise, dit assez sèchement :

— Je n'en ai plus, ma fille !

Elle acceptait encore de faire crédit à Louise pour de la farine et des féculents, mais non pour des denrées de luxe qu'elle ne mangeait pas elle-même !

— J'en vois là, dans le rayon.

— Ce sont des boîtes d'étalage.

— Tu dis ça parce que tu ne veux pas me servir, n'est-ce pas ?

Louise n'était pas méchante, mais elle était bête. Elle subissait tout de son mari. Maintenant encore, elle ne protestait pas. Elle tirait un papier de son porte-monnaie. Elle avouait :

— J'ai encore une liste qu'il m'a donnée : des bougies, de l'amidon, trois bidons de pétrole, des...

— Eh bien ! va lui dire, à ton homme, que s'il veut des provisions, il n'a qu'à commencer par payer ce qu'il me doit...

Louise resta un bon moment immobile au milieu du magasin, à regarder Maria Krull comme si elle attendait quelque chose. Puis elle se dirigea vers la porte en murmurant :

— Il va encore me battre !

Par-dessus la vitrine, tante Maria la vit traverser le terre-plein de son pas traînant et, marmonnant des syllabes entre ses lèvres, elle referma le calepin à élastique qu'elle remit dans le tiroir.

Quelques instants plus tard, Anna et sa mère étaient à nouveau penchées sur le patron de robe ; Liesbeth jouait toujours du piano. Hans devait être monté dans sa chambre, car on ne le voyait pas.

Du côté des péniches, il y avait un groupe d'hommes sur le quai, comme d'habitude quand plusieurs bateaux sont amarrés l'un près de l'autre. À bord d'un gros automoteur on profitait du chômage pour laver le linge.

Louise approchait, avec ses gosses. Son mari, qui était dans le groupe, l'apostrophait.

— Alors ? Et les provisions ?

— Elle n'a pas voulu me servir…

— Hein ? De quoi ? Elle a refusé de te servir ?

— Écoute…

Non ! il n'écoutait pas. Il savait qu'elle allait parler d'argent et il n'y tenait pas. Il prenait les autres à témoin.

— Dites donc ! Voilà qu'ils refusent de servir les gens, à présent !

À ce moment, Hans était à sa fenêtre. Il voyait donc la scène de loin, mais il n'y attacha aucune importance. C'était un spectacle comme on en voyait tous les jours au bord du canal : des hommes en sabots, des femmes sur les bateaux, des gosses jouant comme de jeunes chiens près d'un tas de briques, tout cela dans la verdure des arbres, avec, en premier plan, le tramway jaune qui sonnaillait.

Ce qui surprit Hans davantage, ce fut de voir, de haut, en bas, sur le trottoir, M. Schoof et Marguerite qui s'approchaient. Il avait oublié qu'on était jeudi et que c'était leur jour. Il ne se rendait pas compte qu'il était déjà plus de six heures, car le jeudi les Schoof fermaient leur magasin à six heures pour venir chez leurs amis Krull.

Anna fut surprise aussi. Quand le timbre de la boutique retentit et qu'elle eut jeté un coup d'œil à travers le rideau, elle remarqua :

— Tiens ! Déjà six heures dix… Et mes légumes qui ne sont pas au feu !…

Un peu après, elle criait dans l'escalier :

— Joseph !… Joseph !… Marguerite est ici…

Et de là-bas, de la berge du canal, trois hommes hargneux, dont le mari de Louise, se mettaient en marche en direction de la maison Krull.

D'abord Louise n'avait pas avoué que, si on avait refusé de la servir, c'est parce qu'elle devait plus de trois mois de marchandises. Elle n'avait pas dit non plus qu'on lui avait pesé la farine, les fèves et les pois.

C'était un mauvais jour. Les mariniers étaient maussades d'avance, à cause du chômage du canal qui menaçait de les immobiliser pendant des semaines. Ce qui les mettait encore de plus mauvais poil, c'est que c'était arrivé à l'écluse de Tilly, comme ils étaient tous à le prédire depuis longtemps.

Enfin chacun devait plus ou moins d'argent aux Krull, chacun avait son nom au crayon violet dans le calepin à élastique.

— Elle n'a pas le droit de refuser de servir les gens…

Ils s'excitaient l'un l'autre et ça faisait passer le temps. Les trois hommes traversaient le terre-plein, sous les arbres, comme le mari de Louise l'avait fait seul le matin, avec la satisfaction de sentir les regards braqués sur eux.

L'agent, en faction à une trentaine de mètres, les vit venir et se rapprocha à tout hasard. C'était un jeune agent tout pâle dont un képi trop grand écrasait le visage.

Les trois hommes et lui arrivèrent ensemble devant le seuil. Un des hommes interpella le gardien de la paix :

— Dites donc ! Est-ce que ceux qui tiennent boutique ont le droit de refuser de servir un client ?

Au lieu de répondre, l'agent murmura :

— Allons ! Circulez ! Pas d'histoires…

— Pardon ! Vous pourriez me répondre poliment, pour commencer ! Le trottoir appartient à tout le monde et, si je vous demande un renseignement, vous êtes ici pour me le donner…

— Ne criez pas si fort… Circulez…

Ne lui avait-on pas ordonné d'éviter les attroupements autour de la maison ?

— On circulera après… Nous, on a besoin de marchandises et, si on refuse de nous servir, nous voulons que vous obligiez…

— Je vous en prie, circulez…

Des passants s'arrêtaient un instant, croyaient qu'il s'agissait d'ivrognes et il y avait un peu de ça en l'occurrence. Les autres mariniers, qui suivaient la scène de loin, s'avançaient insensiblement. Potut, vêtu du gros pardessus qu'il portait hiver comme été, était couché sur un banc et dormait, la tête sur son bras replié.

— Qu'est-ce qu'il y a ? demandait, dans la cuisine, M. Schoof qui entendait du bruit.

— Je ne sais pas… Encore des hommes qui ont bu…

Hans se penchait à sa fenêtre.

— Vous ne m'empêcherez toujours pas d'entrer dans la boutique ! déclarait le mari de Louise. Une boutique c'est comme qui dirait la rue. Du moment qu'on achète, tout le monde a le droit d'y entrer...

Et il essaya de passer.

L'agent, à son tour, eut un tort. Il porta son sifflet à sa bouche et en tira un son strident, pour avertir son collègue en faction au prochain carrefour.

Au son du sifflet de police, que tout le monde reconnaissait, des curieux parurent aux fenêtres, des badauds s'arrêtèrent.

Le collègue, lui, comme le règlement le lui prescrivait, se mit à courir. Et, en voyant courir un agent en uniforme, on pouvait supposer qu'il s'agissait d'un événement grave, d'un crime, d'un vol ou d'une arrestation.

— Allons ! Circulez... Sinon je vous avertis que je vous conduis au poste...

— Je voudrais bien voir ça !

— Vous le verrez dans pas longtemps...

L'autre arrivait, essoufflé.

— Remplace-moi un moment ici, que j'emmène ce type-là au poste...

— D'abord, je ne suis pas un type !

— Viens !... Suis-moi ou je te dresse contravention...

La voisine, Mme Guérin, était sur son seuil. Louise traversait à nouveau le terre-plein, son gosse sur le bras, deux autres encore accrochés à ses jupes.

— Viens avec moi, toi, Désiré ! lançait le mari, toujours faraud, à un de ses compagnons. Je vais lui dire, au commissaire...

Le nouvel agent ne savait rien et, tandis que le

214

groupe des trois hommes s'éloignait, il ne pouvait que répéter sans conviction :

— Circulez !... Vous voyez bien qu'il n'y a rien à voir...

Anna venait de mettre la table, de crier dans le corridor :

— C'est servi !

Et ce qui étonna le plus M. Schoof, à ce moment, ce fut de voir descendre Hans qui vint s'asseoir à côté des autres. Le petit homme s'agita sur sa chaise. Il regarda chacun tour à tour, comme pour obtenir une explication. Mais Maria Krull regardait dehors. Cornélius, dans son fauteuil d'osier, murmurait :

— On ferait mieux de fermer...

Il n'y avait encore rien de précis. On apercevait, de dos, l'uniforme de l'agent. On devinait des groupes, des passants arrêtés. La plupart ne savaient même pas de quoi il s'agissait. Ils questionnaient :

— Qu'est-ce qu'il y a ?

On leur répondait :

— Je ne sais pas...

Ou encore :

— Ils ont refusé de servir un marinier...

Tante Maria prononçait, le front soucieux :

— Vous croyez qu'il faut baisser les volets ?

Il lui semblait que c'était une faute. Elle n'aurait pas pu expliquer pourquoi. Malgré elle, elle se tournait vers Hans comme pour lui demander conseil.

Alors Cornélius, à qui cela n'arrivait pas souvent,

de répéter sans élever la voix, comme une com-
plainte :

— On ferait mieux de fermer…

Elle se leva et renoua son tablier. Hans se leva
plus vite qu'elle et dit précipitamment :

— J'y vais, tante…

— Mais…

Il était déjà dans la boutique. Le volet de la vitrine
se fermait de l'intérieur, en tournant une manivelle
dont on entendit le bruit caractéristique.

M. Schoof en profita pour murmurer à l'oreille de
Maria Krull :

— Qu'est-ce que vous allez en faire ?

Il s'agissait de Hans. Il ne comprenait pas que le
jeune homme qui avait menti et lui avait escroqué
cinq mille francs fût encore là, à table avec les autres.
Il comprenait plus difficilement la réponse de tante
Maria :

— Que voulez-vous qu'on fasse ?

Il n'était pas dans la maison du matin au soir. Il ne
savait pas. Il continuait à se sentir mal à l'aise, à
regarder chacun dans l'espoir d'une explication.

Or, le vacarme du volet qui descendait à une heure
inaccoutumée faisait un peu le même effet que le
sifflet de l'agent. Du coup, le rassemblement, dehors,
prenait un aspect dramatique. On ne savait pas de
quoi il s'agissait mais maintenant on savait qu'il se
passait quelque chose et dix maisons plus loin des
gens quittaient leur seuil pour venir voir.

On n'avait pas pensé, en descendant le volet, qu'on
pouvait encore lire les mots *à mort !* malgré le bar-
bouillage dont on les avait recouverts.

La porte vitrée, elle, fermait à l'aide d'un volet extérieur qu'il fallait aller accrocher. Au moment où Hans se disposait à le faire, Maria Krull eut un réflexe, peut-être une intuition. Elle appela :

— Hans !

Et, juste à cet instant, il y eut un fracas. Une pierre, lancée du milieu de la rue, atteignait la vitre au beau milieu de la réclame pour le bleu Reckitt.

Joseph, très pâle, se leva d'une détente, resta quelques secondes immobile, les doigts frémissants, se rassit sans qu'on y eût pris garde. Cornélius ne broncha pas, penché sur son assiette. M. Schoof balbutia :

— Qu'est-ce qu'ils ont ?

Et une voix de gamin, dehors, glapissait :

— Voleurs !

Ce qu'il y eut de plus extraordinaire, c'est qu'on ne quitta pas la table, pour ainsi dire sans le faire exprès, parce que personne ne donnait un signal contraire.

Une deuxième pierre pénétrait dans la boutique et venait heurter la porte de la cuisine. Hans, cependant, accrochait son volet, refermait précipitamment la porte, si bien qu'on n'entendait plus qu'une rumeur indistincte.

Un tram passa, avec son vacarme habituel. Dans la cuisine, il faisait soudain aussi sombre qu'au crépuscule et Anna, machinalement, ramassait les assiettes.

C'est alors que Maria Krull fut frappée par l'attitude de Cornélius. Il ne bougeait toujours pas. Il regardait la nappe et on ne pouvait lire aucun sentiment dans ses yeux. Mais il paraissait plus vieux, tout à coup. Il était là, silencieux, immobile, et personne ne savait ce qu'il pensait.

— Où allez-vous, Hans ?

— Voir… là-haut…

On le laissa faire. Quand il fut dans l'escalier, on fut tout surpris d'entendre la voix de Cornélius qui récitait :

— Je lui ai dit de s'en aller…

Joseph était livide. Ses mains moites tremblaient. Il les regardait tous, autour de la table, avec un commencement d'épouvante et peut-être était-il le seul à donner leur vrai sens aux bruits du dehors.

— Qu'est-ce que c'est ? fit Maria Krull en sursautant soudain.

— Dans le salon… balbutia Liesbeth.

On n'avait pas pensé aux deux fenêtres du salon dont les volets n'étaient pas fermés. Une vitre venait de voler en éclats. Quand tante Maria ouvrit la porte, elle aperçut une demi-brique sur la table.

— Anna !… Viens m'aider…

On aurait pu croire que Joseph, qui était un homme, se lèverait pour aider sa mère. Il y avait pensé. Il faisait un effort et pourtant il restait là, moite, la pomme d'Adam affolée.

— Je viens, maman…

Elles ne virent presque rien. Le temps de laisser dégringoler les deux volets : des silhouettes, des visages au-delà des rideaux ; l'agent qui commençait à perdre son sang-froid et qui attendait avec impatience le retour de son collègue.

Il n'osait pas aller téléphoner pour réclamer du

renfort. Il se tenait tout contre la porte, coincé contre elle. Il répétait obstinément :

— Circulez !… Il n'y a rien à voir…

Combien y avait-il de personnes devant la maison ? Peut-être une trentaine ! Les autres, les voisins, se tenaient à distance sur le trottoir.

Le plus gros de la foule était fourni par les mariniers et certains ne savaient pas plus que les passants de quoi il s'agissait.

C'était l'heure de la sortie des ouvriers du chantier Rideau. Ils passaient à vélo, s'arrêtaient, demandaient crûment :

— Qu'est-ce qu'on leur fait ?

Ils restaient là, avec leurs bicyclettes qui encombraient la chaussée. Ils regardaient la façade. Des gosses couraient entre les jambes. Déjà il eût été impossible de dire qui avait jeté les pierres.

— J'aimerais autant que les Schoof s'en aillent… avoua Maria Krull à Anna tandis qu'elles étaient encore dans le salon.

— Il faudrait le leur dire…

Car ils étaient encore cinq à table : Cornélius, Joseph, M. Schoof, sa fille et Liesbeth. On aurait pu croire qu'ils n'osaient pas se lever, qu'ils avaient peur de ce qui arriverait quand ils quitteraient leurs attitudes figées.

Anna rentrait. On ne voyait pas revenir tante Maria qui était montée. C'est dans la chambre de Joseph, au premier, que Hans était entré et il se tenait derrière le rideau de la fenêtre.

Elle s'approcha de lui, regarda, elle aussi, ne vit

que des groupes encore dispersés qui semblaient attendre quelque chose.

— Qu'est-ce que Cornélius vous a dit ? questionna-t-elle à mi-voix.

— Qu'il faut que je m'en aille...

Et elle, regardant toujours dehors, suivant sa pensée :

— Vous nous avez fait assez de mal !

Elle se retourna brusquement :

— Que viens-tu faire ici, Liesbeth ?

— Mais, maman...

— Descends... Reste avec ton père...

Ils étaient trop. Anna avait raison. Il aurait fallu tout au moins éloigner les Schoof qui pataugeaient, ahuris, dans une histoire qu'ils ne comprenaient pas.

M. Schoof ne trouvait-il pas le moyen de dire à Cornélius :

— J'ai toujours pensé que vous aviez tort de recevoir ce garçon...

Cornélius ne répondait pas, bien entendu, ne bronchait pas. Marguerite regardait Joseph avec de grands yeux étonnés et suppliants.

Et tante Maria disait à Hans, du bout des lèvres, tandis que sa main faisait frémir le rideau :

— Je me demande ce qui va se passer...

Les gens de la rue n'en savaient rien. On en voyait qui riaient. D'autres, après être restés un certain temps, s'en allaient en haussant les épaules.

Peut-être ne se serait-il rien passé du tout si quelqu'un n'était allé prévenir Pipi dans un bistrot de la rue Saint-Léonard où elle avait déjà beaucoup bu.

220

On la vit venir de loin, dépoitraillée, dans tous ses états. Elle avait conscience d'être le personnage principal et elle pénétrait dans la foule en jouant des coudes, se plantait au beau milieu, les mains aux hanches, criait en montrant le poing :

— Alors, c'est vrai qu'on va les arrêter ? Les bandits ! Les assassins !

Un monsieur bien habillé, en chapeau melon, qui la prenait pour une ivrognesse quelconque, dut lui dire de se taire et c'est à lui qu'elle s'en prit. Elle avait besoin d'un partenaire et elle l'avait trouvé. Elle hurlait :

— De quoi ?... Pas de scandale ?... Vous en parlez à votre aise, vous !... Est-ce que ces gens-là vous ont tué votre fille ?... Non ?... Alors, taisez-vous !...

Il y avait encore quelques rires, quelques sourires, mais déjà moins. On se rapprochait pour mieux entendre, pour mieux voir.

— Tenez ! C'était là, juste en face de chez eux... Des Allemands qu'on n'aurait jamais dû laisser s'installer dans le pays... Et lui, le grand voyou, leur Joseph, qui suivait toutes les petites filles du quartier... Quand je pense que sa mère m'a offert de l'argent pour me taire...

Et, regardant autour d'elle avec défi :

— Parfaitement ! Elle m'a offert de l'argent... Allez lui demander si ce n'est pas vrai !... Même que je suis allée le raconter au commissaire...

Hans regarda sa tante. Elle était pâle. Elle ne protesta pas.

C'était exact qu'elle avait supplié Pipi de ne plus les mettre en cause. Elle lui avait rappelé la layette qu'elle lui avait donnée, les crédits qu'elle lui avait consentis, les cadeaux de Nouvel An...

Elle avait fini par balbutier :

— Tu sais que je suis bonne, que je n'oublierai pas...

Et l'autre, dans la rue, disait justement :

— Elle m'a dit qu'elle était bonne, qu'elle ne m'oublierait pas...

L'agent, collé à la porte, n'osait pas intervenir, restait tourné vers le bout du trottoir, attendant toujours son collègue et, quand il le vit arriver avec un brigadier, il risqua seulement :

— Circulez !... Allons !... Circulez...

On ne faisait plus attention à lui. Une mère ordonnait à sa gamine, à cause des mots crus de Pipi :

— Va jouer, toi !... Ce n'est pas la place des petites filles...

Le brigadier voulut faire du zèle dès son arrivée, fonça dans le groupe.

— Est-ce que vous avez bientôt fini ?... Toi, Pipi, si tu ne te tais pas, je te conduis au violon... Allons !... Que je ne voie plus personne sur le trottoir...

On sentit nettement un mouvement de recul, mais il ne dura que quelques secondes et aussitôt il y eut au contraire une poussée en avant, des protestations, surtout que le brigadier avait saisi le bras de Pipi qui criait :

— Lâchez-moi !... Vous me faites mal !... Lâchez-moi, sale brute !...

— Lâchez-la ! gronda un marinier qui avait une demi-tête de plus que tout le monde.

— Ta gueule, toi !

— Quoi ?… Ma gueule ?… Répète, pour voir ?…

Et Pipi de lancer :

— Je ne sais pas ce qu'ils ont fait à la police, mais elle les protège… À croire qu'il faut être allemand pour…

Là-haut, Hans questionnait :

— Où est Joseph ?

— Dans la cuisine…

— Qu'est-ce qu'il dit ?

— Il ne dit rien…

C'était vrai. Il s'était réfugié dans le salon où Marguerite, maladroite, insistante, l'avait suivi.

— Qu'est-ce qu'ils veulent ? lui demandait-elle. Je ne comprends pas ce qu'ils ont…

Il était incapable de lui répondre tant tout son être cédait à la panique. Il aurait voulu réagir. Tout à l'heure, il avait décidé d'aller fermer les volets à la place de Hans, mais il n'avait pas pu.

Il avait peur ! C'était physique. Tout son grand corps était couvert de sueur froide et à certain moment il fut sur le point de vomir, là où il était, en dépit de la présence de Marguerite.

Liesbeth n'était pas dans la cuisine. On ne savait pas où elle se tenait. Il n'y avait que les deux vieillards, Cornélius toujours immobile, M. Schoof inquiet, et Anna qui, peut-être sans le faire exprès, leur servait le café comme les autres jeudis.

— Vous voulez que j'allume ? questionna-t-elle.

Son père ne répondit pas. M. Schoof dit :

— Ce n'est pas la peine…

Le brigadier n'était déjà plus aussi fier et regrettait

de n'avoir pas pris des hommes avec lui. Il soufflait à un des deux agents :

— Va téléphoner au commissaire…

— Il est au bureau ?

— Non ! Chez lui… Dis-lui… Dis-lui qu'il faut qu'il vienne…

Il pressentait du vilain et pourtant il n'y avait encore rien de bien précis. C'était comme un ciel qui se plombe, avec un soleil trop lourd et trop chaud, avant de se couvrir des nuées de l'orage.

Les tramways passaient toujours. Des voisins, sur les seuils, bavardaient sans se douter que cela pouvait tourner au tragique et il y avait encore des rires, des éclats de voix.

— Eh ! Marcel… On va dîner ?

Ou bien, en suraigu :

— Émile !… Émile !… Ta mère t'appelle…

Seulement les gens ne reculaient plus quand les hommes en uniforme s'avançaient vers eux. Certains regards devenaient plus durs. Et Pipi, qui se sentait soutenue, tendait les poings, atteignait, dans son ivresse, à un certain pathétique.

— … Il y avait des semaines qu'il la suivait… expliquait-elle avec de vraies larmes. Et elle, la pauvre petite, n'en voulait pas, tout docteur qu'il fût… Il lui a offert de l'argent… Dans cette maison-là, c'est toujours l'argent qui compte… Quand il a vu qu'il n'y avait rien à faire, il l'a attaquée, au bord du canal et il l'a étranglée…

Une femme se moucha. Pipi regarda son auditoire, aperçut un chapeau rouge vers les derniers rangs, appela :

— Viens ici, toi, Germaine !... Dis-leur ce que tu sais... Dis-leur que ce soir-là il vous a suivies tout le temps...

Il n'y avait rien de préparé. L'ivresse donnait à Pipi des instincts de comédienne. Elle se penchait, serrait dans ses bras la gamine aux gros seins et aux grosses fesses et celle-ci, du coup, se mettait à pleurer aussi.

— Allons... Restez tranquilles toutes les deux... murmura le brigadier sur un ton conciliant.

Mais ce fut contre lui qu'on se retourna :

— Ta gueule ! cria quelqu'un.

— À bas les flics ! lança-t-on des derniers rangs.

M. Schoof, sans s'en rendre compte, avait allumé sa pipe d'écume, avait allongé ses courtes jambes comme il le faisait d'habitude. Il répétait avec une douce obstination :

— Je ne comprends pas que vous ayez gardé ce jeune homme...

Joseph fit craquer ses doigts en tirant dessus, d'énervement, et dit à Marguerite, d'une voix suppliante :

— Laisse-moi...

— Non, Joseph ! Si tu as de la peine, c'est à moi que tu dois l'avouer...

Elle entendait les voix du dehors, pourtant ! Mais elle ne comprenait pas ! Elle questionnait :

— Qu'est-ce qu'ils disent ? À qui en veulent-ils ?

Et toujours, là-haut, tante Maria et Hans, debout l'un près de l'autre, rigides, l'oreille tendue...

— Qu'attend-on pour l'arrêter ?

— Qui ? demanda quelqu'un qui venait d'arriver.

— L'assassin !

— Quel assassin ?

— L'assassin de Sidonie…

Et voilà qu'en entendant le nom de sa fille, Pipi, qui ne le faisait pas exprès, fondait en larmes, se jetait par terre, en proie à une crise de désespoir.

— Ma petite !… Ma petite !… bégayait-elle. Je veux qu'on me la rende !… Je veux qu'on me rende ma petite fille, mon ange…

Des assistants reniflaient. La plupart d'entre eux ignoraient que la femme fût soûle.

— Levez-vous !… Je vous en prie, levez-vous… suppliait le brigadier…

Mais il n'osait plus insister, tant on le regardait avec colère.

Le petit agent de police revenait du téléphone et annonçait :

— Il va venir !

Le ciel, au-delà du feuillage vert sombre des arbres, commençait à se cuivrer, tournait au rouge avant d'atteindre au violet des soirs d'été.

Les gens du quartier qui, à cette heure, avaient l'habitude de prendre l'air en se promenant le long du canal, s'approchaient timidement, surtout ceux qui avaient des enfants et qui formaient comme de petites pincées humaines à trente ou quarante mètres.

— Viens ici, Jojo ! Je te défends…

Il y avait des couples d'amoureux.

— Partons… disait-il.

Et elle :

— Encore un petit moment…

Pour voir s'il se passerait enfin quelque chose !

— Qu'est-ce que c'est ?

— Des Allemands...

— Qu'est-ce qu'ils ont fait ?

— Il paraît qu'ils ont tué une petite fille...

Ce qui fut le plus caractéristique, ce fut le geste du menuisier d'à côté qui fit tomber ses volets, lui aussi, jugeant sans doute que sa maison était exposée presque autant que la maison des Krull.

Les derniers rangs plaisantaient. Il y avait des gens qui n'étaient là que parce que d'autres y étaient et qui se hissaient sur la pointe des pieds en demandant pardon à ceux qu'ils bousculaient.

D'autres, autour de Pipi, commençaient à gronder, surtout qu'on avait relâché le mari de Louise qui venait de se camper devant le brigadier.

— Est-ce que tu vas encore m'arrêter, à c't' heure ? Est-ce que t'es au service des Allemands, toi aussi ?

C'était le mot qui revenait le plus souvent : *les Allemands* ! Certains, qui arrivaient, n'entendaient que ces syllabes.

Et voilà que sans raison précise une poussée se produisait, peut-être simplement parce que quelqu'un avait perdu l'équilibre.

— Reculez !... Reculez !... cria le brigadier qui tenait ses deux agents par la main pour former barrage.

— Recule toi-même ! riposta le marinier colosse.

Et ce furent les agents qui heurtèrent violemment les volets, poussés par la foule, tandis que sous le choc les vitres déjà cassées perdaient leurs derniers débris, laissaient tomber une pluie de verre dans la boutique.

— Je crois qu'il vaut mieux que nous nous en allions ! prononça M. Schoof en se levant.

Et Cornélius, comme un écho :

— Je crois.

La pénombre avait envahi la cuisine où Anna s'essuyait les yeux et son père, toujours immobile, semblait s'effacer peu à peu dans le clair-obscur.

12

Il y avait des détails saugrenus. Par exemple Maria Krull entrait dans la cuisine, préoccupée, apercevait M. Schoof qui se levait, et automatiquement son visage prenait une autre expression, une expression de femme qui reçoit, et elle prononçait avec un étonnement poli :

— Vous partez déjà ?

Ce n'était qu'un déclic et déjà elle redevenait comme avant, comme les autres, regardait autour d'elle, le front plissé par l'effort pour concentrer sa pensée, pour savoir où on en était :

— Marguerite est partie ?

Car ce qu'il y avait de plus curieux c'est qu'on ne se retrouvait plus. Toutes les portes étaient ouvertes, comme des écluses, entre les différentes parties de la maison. L'air circulait à sa guise. On se rencontrait sans se voir. L'instant d'avant Anna était dans la cuisine et on ne l'y apercevait plus. Et Joseph ?

Chacun flottait, sauf les deux vieux ancrés dans la cuisine.

Mais maintenant, M. Schoof, debout, cherchait son chapeau, appelait :

— Marguerite !

Oui ! Elle venait ! Elle était dans le salon, près de Joseph qui serrait les dents d'impatience. Depuis cinq minutes, doucement, bêtement, elle essayait de lui tirer les vers du nez.

— Qu'est-ce qu'il a fait ? Pourquoi ne veut-on pas me le dire ?

Car elle mettait tout ce qui se passait sur le compte de Hans ! Elle n'avait jamais été aussi rose, d'un rose invraisemblable qui évoquait l'idée de pâturage et on s'attendait à la voir donner du lait !

— Je viens, papa... Bonsoir, Joseph... Promets-moi d'être calme...

Elle lui tendait ses joues finement couperosées, se précipitait hors du salon avec une fausse légèreté.

— Où est Liesbeth ?... Liesbeth ! Viens dire bonsoir à M. Schoof...

Peut-être tout le monde ne s'embrassa-t-il pas ? À la fin, le rythme s'accéléra. M. Schoof tirait vers la porte. Tante Maria tenait déjà le verrou, écoutait, murmurait :

— Faites vite...

Ils se faufilèrent. Leur apparition sur le seuil fut saluée par un coup de sifflet. C'était un gamin de quinze ans, vers les derniers rangs, qui sifflait ainsi en enfonçant quatre doigts dans sa bouche. Le son strident fit le même effet que le sifflet de l'agent. Cela faisait émeute. Et aussitôt d'autres sifflets retentirent. Toute une partie de la foule s'y mit, par plaisir, pour s'entendre, tandis que M. Schoof, qui tenait Marguerite par la main, se glissait le long des maisons.

Certaines personnes, qui n'étaient restées que par désœuvrement, crurent que c'était fini, d'autant plus que certains sifflets ratés provoquaient des éclats de rire. Mais cela, c'était dans les derniers rangs. Dans les premiers, on se serrait autour de Pipi qui racontait ses malheurs et ceux mêmes qui la connaissaient finissaient, ce soir-là, par s'apitoyer.

Quelque part, près des rails du tram, la femme d'un marinier expliquait à des gens qui n'étaient pas du canal :

— Même le sucre qu'elle nous facture cinq centimes plus cher ! Ces gens-là profitent de ce qu'on ne peut pas toujours payer comptant...

C'était vrai. Toutes les marchandises, chez Krull, étaient un peu plus cher qu'ailleurs, mais combien de notes, dans le gros calepin noir, restaient impayées !

— Une fois, ils ont prêté de l'argent au patron de la *Belle Hélène* et, quand il n'a pas pu rembourser, ils ont fait saisir...

On ne prêtait pas attention à ceux qui partaient et à ceux qui venaient. Or, ceux qui partaient étaient pour la plupart des petits bourgeois des environs, qui avaient vu quelque chose en passant ou en accomplissant leur promenade du soir.

À leur place, on voyait davantage de jeunes gens, surtout de jeunes gens en casquette qui le faisaient exprès de se donner un mauvais genre et qui regardaient autour d'eux avec effronterie.

Ce fut un de ceux-là qui crut apercevoir une silhouette derrière un rideau du premier étage.

— Tiens ! Vise le frère…

Il ramassa une brique, la lança, atteignit la fenêtre en plein et Hans eut juste le temps de disparaître.

Ce fut un signal. Le tas de briques était tout proche. D'autres voyous allèrent en chercher, les lancèrent vers le haut de la façade, au petit bonheur et les briques retombaient sur le trottoir qu'il fallut évacuer.

Un tram sonnailla en vain pendant deux minutes pour se frayer un passage à travers la foule qui, comme par enchantement, était devenue plus dense. Les agents avaient du rouge de brique sur leur tunique.

Et les sifflets éclatèrent de plus belle quand on vit arriver quatre agents cyclistes qui précédaient le commissaire de police toujours coiffé d'un canotier.

— À mort le Boche !… cria-t-on. À mort l'assassin !…

C'était excitant de lancer des briques sur cette façade derrière laquelle on ne voyait rien. Certaines tombaient dans les chambres du premier.

Une voix dit :

— Qui sait ? Ils sont peut-être capables de tirer…

D'autres n'entendirent que le dernier mot :

— Attention… Ils vont tirer…

On croyait apercevoir des ombres derrière les vitres brisées. Longtemps on prit pour cible un rideau qui frémissait à la brise et derrière lequel on voulait voir un ennemi.

Le commissaire de police s'épongeait, montait sur le seuil, essayait d'obtenir le silence pour s'adresser à la foule. Un éclat de brique lui enleva son chapeau de paille et les rires se mêlèrent aux huées.

Comme dans les incendies, la fièvre diminuait dans un secteur, tombait parfois à plat, mais c'était pour reprendre dans un autre coin.

Au-delà de la chaussée, le terre-plein du quai était désert et un homme était assis sur un banc, Potut, enveloppé de son gros pardessus, les mains dans les poches, une pipe éteinte plantée dans sa barbe. Il regardait, placide, indifférent.

Et des gens arrivaient maintenant par groupes, par bandes, des quartiers populeux. Ceux-là, dès leur arrivée, se montraient plus hardis et plus agressifs.

— À bas les flics !...

Les voisins se rendaient compte que cela devenait sérieux et restaient sidérés de la façon dont cela s'était passé. Ils se tenaient prudemment à l'écart. On avait couché les enfants. De temps en temps on venait jeter un coup d'œil inquiet, car on se demandait où cela s'arrêterait.

— C'est leur faute aussi ! Ils n'ont jamais rien voulu faire comme les autres...

Le commissaire, d'une maison proche, téléphonait en vain au procureur, au juge, à la mairie. Tout le monde était à la campagne !

Alors, il s'adressa à la gendarmerie qu'il appela à la rescousse.

— Oui... Envoyez des hommes... Autant que

vous pourrez… Pour le moment, je ne réponds de rien…

Des voix hargneuses criaient :

— Qu'est-ce qu'on attend pour l'arrêter ?

Cornélius, tout seul dans la cuisine que l'obscurité avait envahie, était assis dans son fauteuil. Parfois quelqu'un entrait, sortait, qu'on reconnaissait à peine à un froissement de robe, au bruit des pas.

Joseph était toujours dans le salon. À l'abri des volets, il écoutait, livide, l'œil hagard.

Deux ou trois fois, sa mère était venue le rejoindre. Elle lui avait mis la main sur l'épaule.

— Ils n'oseront pas… La police est là…

Mais il était à peine capable de lui répondre. Il la regardait comme s'il ne la reconnaissait pas, ou comme s'il n'entendait pas. Il tremblait. C'était une panique de tout son être, ses nerfs qui avaient flanché brusquement.

— Il est tard… Les gens finiront par aller dormir…

Pourquoi, dans l'esprit de Joseph, la foule allait-elle mettre le feu à la maison ? Une vision qu'il avait eue. Il lui semblait que des flammes avaient passé devant ses yeux. Il s'était vu lui-même courant en tous sens dans un brasier et ne trouvant aucune issue.

— Reste calme…

Où allait-elle ? Pourquoi montait-on et descendait-on sans cesse l'escalier ? Et quand on se croisait, on faisait semblant de ne pas se voir !

Les briques atteignaient la façade à une cadence moins rapide que déjà, dehors, ils avaient trouvé autre chose. Des dizaines de voix, comme sous la direction d'un chef d'orchestre, scandaient en mesure :

— *L'as-sas-sin !... L'as-sas-sin !... L'as-sas-sin !...*

— Messieurs !... s'efforça de hurler le commissaire, hissé sur la pointe des pieds.

— *L'as-sas-sin !...*

— Messieurs !...

Il reçut quelque chose de sale en plein visage, un chiffon, un objet mou et humide qu'on avait dû ramasser dans le ruisseau.

— *L'as-sas-sin !... L'as-sas-sin !...*

Le chœur prenait de l'ampleur. Le rythme devenait plus parfait.

— Il faut que je leur parle de la fenêtre... dit le commissaire à son brigadier.

Et, traversant le trottoir couvert de débris de briques, il frappa à la porte.

C'était encore une gaffe. Les voix se firent plus pressantes.

— Au nom de la loi...

— Maman !... appelait Anna qui était dans le magasin.

Elle croyait sa mère loin d'elle, peut-être à l'étage, et voilà qu'elle entendait sa jupe tout près. Maria Krull demandait, penchée sur la porte :

— Qu'est-ce que c'est ?

— Le commissaire...

Les autres hurlaient toujours. Elle parlait avec application :

— Écoutez, monsieur le commissaire... Si j'ouvre, la foule va entrer... Vous devriez passer par la maison voisine...

Sans doute avait-il compris, car on ne l'entendit plus. Par contre, des huées éclataient, mêlées de coups de sifflet. La rumeur se faisait plus méchante.

C'est que les gendarmes venaient d'arriver et s'avançaient avec une assurance menaçante. Il y eut des bousculades, des coups échangés vers les premiers rangs. Les gens des autres rangs furent refoulés sur plusieurs mètres et se trouvèrent coincés contre les tramways dont il y avait déjà toute une file.

Parfois, comme une fusée plus haute dans un feu d'artifice, un cri isolé :

— À mort !…

Et, pendant ce temps-là, Maria Krull s'arrêtait près du fauteuil de son mari, murmurait d'une voix feutrée :

— Vous devriez aller vous coucher, papa !

On ne voyait que son visage et sa barbe. Il hocha la tête et dit :

— Je vais y aller…

Mais il ne bougea pas.

Liesbeth priait, à genoux dans la chambre de ses parents où il y avait un grand crucifix d'ébène.

Hans errait et personne, désormais, ne semblait le voir ni soupçonner son existence. C'est lui qui aperçut le premier, d'une fenêtre du palier, le commissaire dans le jardin des voisins, en compagnie du menuisier. Celui-ci posa une échelle contre le mur. Le commissaire y grimpa, appela :

— Quelqu'un là-dedans !…

Hans voulut y aller. Dans le corridor, il se heurta à sa tante qui ordonna :

— Laissez…

L'instant d'après, le policier pénétrait dans la maison devant tante Maria, regardait autour de lui avec encore plus de méfiance que l'après-midi, comme s'il avait peur des moindres taches d'ombre.

— Où est-il?

— Dans le salon…

— Je crois que je ferais mieux de l'arrêter provisoirement… Je n'ai trouvé personne pour me donner des instructions… Si je le laisse ici, la foule finira par forcer les portes…

Il ne s'apitoyait pas sur leur sort. En ce moment, il partageait l'hostilité de la foule vis-à-vis des Krull et son dégoût à l'égard de Joseph.

Dehors, un gendarme qui ne savait pas avait malmené Pipi et cela créait un regain de fureur.

— Je vais monter leur parler…

Maria Krull monta derrière lui, à pas si feutrés qu'elle avait l'air de son ombre. En passant devant une porte ouverte, ils virent Liesbeth à genoux, frôlèrent Anna debout contre un chambranle.

— Je ferais mieux de mettre mon écharpe… Heureusement que je l'ai toujours sur moi…

Il s'affairait, dans le clair-obscur, respirait un grand coup avant de se précipiter vers la fenêtre où il surgissait comme un pantin, esquissant des gestes fiévreux de ses bras trop courts.

— Messieurs!… Messieurs!… Je réclame le silence!…

Il obtint surtout des rires, puis une pluie de projectiles qui venaient échouer jusque sur le palier.

— Je vais procéder à l'arrestation de Joseph Krull… Je vous demande de rester calmes…

Il ne choisissait pas ses mots, effrayé par l'ampleur du spectacle qu'il avait sous les yeux, par la longue file de tramways jaunes enlisés dans la foule, par tous ces visages levés vers lui.

— Joseph Krull arrêté, vous pourrez rentrer chez vous...

Il y eut quand même un moment de silence, de flottement, et il en profita pour se retirer. Mais il n'était pas au bas de l'escalier, toujours suivi par Maria Krull, qu'on entendait à nouveau :

— À mort !... À mort !...

Il ne savait plus, perdait le contrôle de ses nerfs, se surprenait à prononcer :

— C'est votre faute aussi !... Où est-il ?

Joseph était là, debout devant lui.

— Je vous arrête sans vous arrêter. Si je vous conduis à la prison alors que je n'ai pas de mandat, c'est que c'est le seul moyen d'apaiser la foule...

Joseph ne dit rien. Sa pomme d'Adam bougeait. Ses doigts s'étaient comme emmêlés. Machinalement, il suivit le commissaire jusque dans la boutique, mais là, près de la porte derrière laquelle il y avait de nouvelles poussées, il put souffler enfin :

— Ils vont me tuer...

Il avait peur. C'était plus fort que lui : il claquait des dents ! Toute sa chair avait peur, toute sa chair mollissait et on put croire à certain moment qu'il allait s'évanouir.

— Il n'y a qu'à l'emmener par chez les voisins, dit une voix. Au fond de leur jardin, il existe une porte qui donne sur la rue de derrière...

C'était Hans qui parlait. On se regarda, toujours

dans le clair-obscur. On attendait la décision du policier qui finit par déclarer :

— On peut toujours essayer…

Tante Maria se jeta dans les bras de son fils, mais elle ne put étreindre qu'un grand corps sans réactions.

— Courage !… disait-elle.

Liesbeth ne descendit pas. Anna fit comme sa mère, répéta :

— Courage, Joseph !

Lui se laissait conduire, marchait comme quand il était somnambule. On en oubliait le père. Et celui-ci, tassé au fond de son fauteuil, ne se levait pas, regardait l'étrange cortège qui le frôlait.

N'importe qui était capable de franchir le mur de séparation et pourtant il fallut pousser Joseph, le soutenir, tant il se révélait maladroit. Il y avait des gens aux fenêtres. On se le montrait du geste. Mais les voisins ne criaient pas, se tenaient sur la réserve.

Tante Maria revint vite vers la cuisine en s'essuyant les yeux.

— Il faut que vous alliez vous coucher, papa ! Venez…

Elle aidait Cornélius à se lever, disait du bout des lèvres :

— C'est mieux ainsi… Demain, on le relâchera… Au moins, il est en sûreté…

Il monta tout seul. Liesbeth, en le voyant venir, sortit de la chambre.

Il y avait toujours autant de cris, autant de remous dehors, mais on avait l'impression que c'était moins grave, maintenant que Joseph était parti.

D'ailleurs, le menuisier sortait de chez lui, important, frôlait prudemment les groupes.

— On vient de l'emmener… annonçait-il.

— Qui ?

— L'assassin ! Même qu'il est passé par chez moi ! C'est le commissaire qui l'a fait sortir par-derrière…

— Qui est-ce qui est passé par-derrière ? criait une voix hargneuse.

— L'assassin !

— Il s'est sauvé ?

Deux bruits différents couraient : que Joseph Krull s'était enfui (on disait même qu'il s'était cassé la jambe en sautant par une fenêtre) ; puis les mieux renseignés affirmaient qu'on l'avait conduit en prison.

Maria Krull était aussi lasse que si elle avait fait toute seule une lessive de quinze jours. Et pourtant elle restait debout ! On eût dit qu'elle avait peur de s'asseoir.

Elle entrait dans le salon, s'engageait dans l'escalier, poussait la porte de sa chambre, entendait une voix qui lui disait :

— Il faudra que Hans s'en aille…

On ne voyait pas le vieux Cornélius car la chambre, maintenant, la plus mal exposée de la maison, était dans l'obscurité complète. C'est peut-être pourquoi ces paroles eurent une résonance particulière, prirent le poids qu'ont les phrases des prophètes de la Bible.

— Essayez de dormir, papa !

Depuis qu'ils avaient des enfants, elle l'appelait

toujours ainsi et jamais elle n'avait eu l'idée de le tutoyer.

— … s'en aille ! répétait-il.

— Oui… Demain…

Elle referma la porte et entra dans la chambre d'à côté, celle de son fils, constata que l'agitation n'était pas encore apaisée.

Elle glissait sur les parquets cirés. Elle descendait. Elle hésitait à allumer, par crainte que la moindre lueur excitât davantage ceux du dehors.

— Tu es ici, Anna ?

— Oui, maman…

— Et Liesbeth ?

— Je ne sais pas… Peut-être dans le salon ?…

Maria Krull y allait, pour éviter de laisser sa fille avec Hans. Mais il n'était pas dans le salon. De temps en temps, on le voyait passer, désemparé, cherchant sa place et sentant bien que les murs eux-mêmes le repoussaient.

— Viens, Liesbeth… Tu vas boire quelque chose avant de te coucher…

Le commissaire était revenu devant la maison. Il s'agitait beaucoup, gesticulait, criait, fonçait dans les groupes.

— Je vous dis que je viens de le conduire en prison !… Demandez au menuisier d'à côté… Par conséquent, vous n'avez plus rien à faire ici…

Il y avait longtemps que sa mère était venue chercher la gamine au chapeau rouge et celle-ci avait piqué une colère dans son lit parce qu'on ne la laissait pas voir jusqu'au bout.

— Si vous ne vous décidez pas à vous disperser, j'appelle les pompiers qui vous arroseront.

Encore un peu de colère, mais beaucoup de rires. Le premier tramway eut la bonne idée de sonnailler avec insistance et d'avancer au ralenti, refoulant une partie de la foule vers le terre-plein.

— Il est arrêté ! hurlaient les agents, la main en cornet. Rentrez chez vous ou bien les pompiers vont vous arroser !

Maria Krull se décidait à allumer la lampe de la cuisine, tisonnait machinalement le poêle, secouait la cafetière où il restait du café tiède.

— Va chercher le rhum, Anna…

En temps ordinaire, il fallait être malade pour avoir droit à de l'alcool. Mais tante Maria en versa elle-même dans le café de ses filles et une odeur inaccoutumée de rhum chaud flotta dans la cuisine.

On ne prenait pas garde à Hans. Il était là, debout, adossé au chambranle de la porte. On ne lui offrait pas de café.

— On dirait que ça se calme… murmura Anna.

— Il est presque minuit !

C'était rare, dans la maison, de voir l'horloge blafarde marquer pareille heure ! On avait eu les nerfs tellement secoués qu'on restait là sans avoir envie de bouger tant on était abruti.

On ne pensait pas. On écoutait les bruits du dehors qu'on ne distinguait plus les uns des autres. Déjà la sonnerie des tramways était comme une promesse de retour à la vie.

Hans, par contenance, alluma une cigarette et

resta jusqu'au bout. Les trois femmes étaient enfin assises, les coudes sur la table.

— Ce n'est pas une véritable arrestation, murmura tante Maria comme pour répondre à certaines pensées.

Car Joseph était en prison !

— Pourvu qu'il ne s'effraye pas trop... dit Anna.

Tout le monde gardait de Joseph une image pénible. On aurait voulu le remonter, lui donner du courage.

Et Anna, passant d'une idée à l'autre :

— Je me demandais si les Schoof se décideraient à partir... Marguerite ne comprenait rien...

Il y avait des heures que Liesbeth avait envie de pleurer et elle en était incapable, à force de nervosité.

Dehors, il y avait de la lune et les groupes qui rentraient chez eux en échangeant de bruyants commentaires faisaient penser à un soir de feu d'artifice quand la ville déverse sur un même point une population insoupçonnée.

La gendarmerie restait devant la maison, et la police. Des groupes s'obstinaient, mais c'étaient surtout des jeunes gens qui s'amusaient à lancer des plaisanteries.

Dans la cuisine, il faisait lourd. La lumière elle-même était plus lourde que les autres soirs. Quand on entendit frapper à la porte de la boutique, chacun tressaillit. Maria Krull se leva.

— Qu'est-ce que c'est ?

— Le commissaire de police... Vous pouvez ouvrir...

Ce fut un spectacle étrange que celui de cette porte qui s'ouvrait enfin, des rayons de lune qui éclairaient le désordre de la boutique et les éclats de verre jonchant le plancher.

— Je suis venu vous annoncer que c'est fini… Vous voyez que c'était le seul moyen de les calmer… Je laisse néanmoins des hommes en faction toute la nuit…

Il aurait voulu voir ce qui se passait à l'intérieur. La lumière, dans la cuisine, l'intriguait. Il essayait de regarder par-dessus l'épaule de Maria Krull mais celle-ci prononçait simplement en attendant pour refermer la porte :

— Je vous remercie.

Elle tira les verrous, revint vers les autres, affirma :

— Il faut dormir.

Personne n'avait sommeil, mais il fallait néanmoins faire semblant de dormir ! Il fallait se lever, gravir l'escalier, se dire bonsoir comme les autres jours, parce que malgré tout la vie continuait.

Hans ne comptait toujours pas. On évitait de savoir qu'il était là, Liesbeth surtout, qui pas une seule fois n'avait regardé de son côté.

— Bonsoir, Anna !

— Bonsoir, maman.

— Bonsoir, Liesbeth !

Et ainsi on arrivait au premier étage, Maria Krull poussait la porte de sa chambre, tournait sans bruit le commutateur électrique.

— Où est votre père ?

Les autres s'arrêtèrent, virent le lit vide, dont les draps n'avaient pas été dérangés.

— Anna !... Liesbeth !... Votre père !

Tante Maria descendait l'escalier en courant, se précipitait d'abord vers le salon. Liesbeth criait :

— Père !... Père !...

Et il leur semblait à tous qu'un courant d'air les frôlait, qu'il y avait un nouveau vide dans la maison. On allumait les lampes au fur et à mesure qu'on avançait, y compris celles du magasin, et la lumière faisait sans cesse jaillir du désordre et de la casse.

— Ce n'est pas possible !

Au moment où tante Maria, en désespoir de cause, s'approchait de l'atelier, elle vit Hans qui en ouvrait la porte. Il était allé là d'instinct, lui ! Il laissait à sa tante le soin de tourner le commutateur.

Il y eut un bruit mou, celui de Maria Krull qui tombait à genoux, puis un cri perçant de Liesbeth.

— Qu'est-ce qui se passe ? demanda Anna, hagarde.

L'atelier était la seule pièce qui n'eût pas été touchée par le désordre. La lampe électrique sans abat-jour éclairait crûment les murs blanchis à la chaux, les paniers commencés, les sièges de l'ouvrier et de Cornélius.

Et, juste à côté de ce siège, une ombre se balançait, qui faisait sur le mur une ombre encore plus longue.

— Papa !... Papa !...

On ne l'avait pas vu descendre. On ignorait quand il avait quitté sa chambre. N'était-ce pas son habitude de trottiner sans bruit à travers la maison ?

Et de ne rien dire ?

Il s'était pendu, on ne savait pas au juste pourquoi.

Mais savait-on pourquoi l'errant qu'il était s'était fixé au bout de la ville, pourquoi, des années durant, il avait vécu silencieux dans cet atelier avec l'ouvrier bossu?

Qu'est-ce qu'on savait de lui?

Il était venu, tout seul. Il était resté, seul parmi les siens, avec sa barbe de patriarche et son visage mystérieux ou serein. Il était reparti tout seul, il s'était pendu, dans son coin, près de sa chaise aux pieds sciés, d'un panier en osier blanc qui ne serait jamais terminé.

Il n'avait rien dit et c'était un peu effrayant, maintenant, de se demander ce qu'il savait.

On était tenté de penser qu'il ne venait pas simplement d'Emden, comme un compagnon qui fait son tour d'Allemagne et de France, mais qu'il venait de beaucoup plus loin dans l'espace et dans le temps, d'un monde figé dans les images des Bibles, dans les sculptures des églises et dans les vitraux.

— Non! prononça simplement tante Maria comme Hans s'avançait pour le dépendre.

Liesbeth se jeta par terre, en proie à une crise de nerfs, et ses cris rappelaient ceux de la rue.

— Chut!... Tais-toi... lui disait machinalement Anna qui en avait elle-même mal aux nerfs.

Hans reculait. Dans cette pièce aux murs trop blancs, à l'ampoule unique, on faisait sans le vouloir danser des ombres. Tante Maria était montée sur la petite chaise. Elle articulait:

— Passe-moi un couteau, Anna.

Et les sanglots de Liesbeth devaient lui déchirer la poitrine.

— Où est-il, mère ?

— Il doit y en avoir un sur l'établi...

Des mots qu'il fallait dire et qui sonnaient creux !

— Attention... Tiens-le...

Hans, collé au mur, comme s'il avait peur, les deux mains à plat sur les briques passées à la chaux.

— Ne le laisse pas tomber...

Dieu sait comment elles s'y prirent : le corps descendit doucement, la tête s'inclina, se posa sur le panier commencé qui formait oreiller.

Maria Krull n'avait pas encore pleuré. Les lignes roides de son corsage, les plis de sa robe noire lui donnaient l'air d'une sculpture.

Surtout quand elle marcha vers Hans, quand elle lui dit :

— Il faut vous en aller...

— Mais...

— Il faut vous en aller, Hans... Tout de suite !...

Alors il eut peur. Il les regarda toutes les trois. Peut-être sentit-il que c'était son tour d'être l'Étranger, la cause de tous les maux du monde ?

— L'argent de M. Schoof... commença-t-il en portant la main à sa poche.

— Partez !

— Liesbeth !

Elle ne lui répondit pas, ne détourna pas la tête.

Et alors il courut vers la boutique, tira les verrous, ouvrit la porte, se heurta presque à deux agents en faction, à des gendarmes qui racontaient des histoires.

— Qu'est-ce que c'est ? lui demanda-t-on.

— Rien ! Je sors...

Il devait se contenir, tant qu'il était dans le champ de leur vision, pour marcher d'un pas normal.

Peut-être, le matin, les gens avaient-ils un peu honte ? Mais ils étaient curieux aussi. Ils regardaient de loin et les voisins feignaient d'être attirés dehors par une occupation quelconque.

Ils virent Mme Krull qui, dès huit heures et demie, revenait déjà de la ville où elle était allée de très bonne heure. Elle portait sa robe noire et son chapeau à brides. Les agents, à ce moment-là, se tenaient à l'écart.

Elle ne fit qu'entrer dans la maison et en sortir, sans retirer son chapeau, mais elle apportait une chaise et un marteau.

Alors, sur les volets qui résonnaient comme la veille au choc des briques, elle cloua un écriteau blanc, cerné de noir, qu'elle était allée acheter chez un imprimeur :

Fermé pour cause de décès.

13

C'était des années plus tard, à Stresa, en plein mois d'août, au plus fort des chaleurs. En attendant la détente de l'orage quotidien, qui n'éclaterait qu'en fin de journée, le lac Majeur était couleur de chaudron et on pouvait croire, tant l'eau paraissait épaisse, que les barques allaient s'y engluer.

Le bitume fondait, sur la Promenade. Les grands hôtels tout blancs montraient les trous ombreux de leurs centaines de fenêtres creusées comme des alvéoles.

Près de l'embarcadère, où deux agences de voyages se faisaient concurrence à coups d'affiches bariolées et de haut-parleurs, des cars s'arrêtaient, des bleus, des jaunes, des noirs, gonflés, couverts de poussière, venant de Suisse, de Belgique ou de France, déversant une même foule en complets clairs, en robes blanches, ahurie, épuisée, surexcitée par trop d'étapes, d'arrivées et de départs, de repas pris en hâte, traînant des enfants, des manteaux, des appareils photographiques et des valises et n'osant regarder le ciel d'Italie qu'avec des verres fumés ou des lunettes bleues.

— Joseph ! Tiens le petit…

Trois cars étaient arrivés à la fois, qui ne devaient pas déjeuner au même hôtel, et on ne s'y retrouvait plus. Avec des porte-voix, on appelait :

— Les voyageurs du car bleu !… Les voyageurs du car bleu !… Le déjeuner est servi à l'*Hôtel des Grottes*. Départ à une heure quarante-cinq précise…

— Les voyageurs de Genève !… Les voyageurs de Genève !… Repas à l'*Hôtel du Lac*… Départ à…

On se cherchait, on se perdait, certains s'informaient d'un marchand de cartes postales.

Joseph portait un complet gris, un chapeau de Panama, un col de chemise ouvert et il tenait par la main un garçon de sept ans, maigre et blond, aux jambes grêles.

— Dis, papa…

— Joseph ! Gronde la petite qui ne veut pas marcher…

Celle-là avait trois ans et elle était toute ronde, toute rose comme sa mère.

— Anna, si tu refuses de marcher…

Des gens passaient, qui vivaient là depuis des semaines et qui contemplaient avec ironie le débarquement des cars. Un couple s'arrêta. Un homme appela :

— Joseph !

Il y avait tant de soleil, tant de pétillement dans l'atmosphère qu'on y voyait mal et que les sons eux-mêmes s'estompaient.

— Ce n'est pas toi qu'on a appelé ? demanda Marguerite.

— Je ne sais pas…

Ils cherchaient autour d'eux, apercevaient une femme d'un certain âge au visage peint, aux ongles peints, y compris ceux des orteils qui jaillissaient d'étranges sandales.

Ce n'était pas elle qui avait appelé. Elle était aussi étonnée qu'eux.

Son compagnon venait de la quitter soudain, de faire quelques pas en courant.

C'était Hans, en pantalon blanc, pieds nus, lui aussi, dans des sandales, le teint bronzé.

— Joseph ! Quelle bonne surprise !…

Les enfants, le gamin surtout, le regardaient avec effroi.

— Je vous présente lady Bramson, une bonne amie à moi... Mon cousin Joseph et sa femme... Alors, Joseph ?

— Alors, rien ! répondit-il, froidement.

— Tout s'est bien arrangé ? Figure-toi que je suis passé tout de suite à l'étranger et que j'ai cherché en vain des nouvelles dans les journaux...

Marguerite, qui avait reconnu Hans, tirait le bras de son mari. Le gamin tirait sur l'autre bras.

— Toujours là-bas ?

— Toujours...

— Et tante Maria ?

— Toujours...

— Son magasin ?

Joseph, involontairement, fit signe que oui, en même temps qu'il cherchait un moyen d'échapper.

— Anna ?

— Avec elle...

— Et Liesbeth ?

— Elle est mariée... Vous m'excusez... Mais notre car...

— Vous faites le tour d'Italie ?

Joseph avait laissé pousser de petites moustaches roussâtres qui changeaient sa physionomie.

Lady Bramson, qu'un fox tirait par la laisse, s'impatientait.

— Médecin ?

— Oui...

— Dans la maison que...

Heureusement que le guide du car français apercevait Joseph et lançait dans son porte-voix :

— Les voyageurs du car bleu sont priés de se mettre à table… Départ dans vingt minutes…

— Moi, essayait de dire encore Hans, je suis ici avec une amie qui…

Des mains se touchèrent.

— Oui… Au revoir…

— Au revoir… Est-ce que…

Déjà les Krull étaient happés par la foule de la terrasse où le déjeuner était servi à un rythme accéléré.

— Qui est-ce ? questionnait la compagne de Hans.

— Un drôle de type… C'est toute une histoire…

Il prit la laisse du fox, fit quelques pas en silence. Sa compagne allumait une cigarette avec un briquet d'or.

— Cela devait finir comme ça !

— Qu'est-ce qui devait finir comme ça ? questionna-t-elle sans y attacher d'importance.

Et lui, sur le même ton :

— Rien… Joseph… Enfin, tout…

Ils allaient chercher des journaux anglais à la marchande installée près du débarcadère.

— Qui est-ce ? questionnait le fils de Joseph, les jambes pendant de sa chaise.

Et on lui répondait :

— Personne !… Perds l'habitude de toujours poser des questions…

Sa mère renchérissait :

— Mange !

Et tout pétillait, crépitait, les gens, les choses, les robes claires, les assiettes, un plat d'agneau, le lac et le soleil, un univers désordonné et aveuglant dans lequel le gamin, tenant mal sa fourchette, cherchait l'homme extraordinaire qui venait de plonger.

DU MÊME AUTEUR

Dans la collection Folio Policier

Les enquêtes du commissaire Maigret

SIGNÉ PICPUS, Folio Policier n° 591.

LES CAVES DU MAJESTIC, Folio Policier n° 590.

CÉCILE EST MORTE, Folio Policier n° 557.

LA MAISON DU JUGE, Folio Policier n° 556.

FÉLICIE EST LÀ, Folio Policier n° 626.

L'INSPECTEUR CADAVRE, Folio Policier n° 671.

Romans

LOCATAIRE, Folio Policier n° 45.

45° À L'OMBRE, Folio Policier n° 289.

LES DEMOISELLES DE CONCARNEAU, Folio Policier n° 46.

LE TESTAMENT DONADIEU, Folio Policier n° 140.

L'ASSASSIN, Folio Policier n° 61.

FAUBOURG, Folio Policier n° 158.

CEUX DE LA SOIF, Folio Policier n° 100.

CHEMIN SANS ISSUE, Folio Policier n° 247.

LES TROIS CRIMES DE MES AMIS, Folio Policier n° 159.

LA MAUVAISE ÉTOILE, Folio Policier n° 213.

LE SUSPECT, Folio Policier n° 54.

LES SŒURS LACROIX, Folio Policier n° 181.

LA MARIE DU PORT, Folio Policier n° 167.

L'HOMME QUI REGARDAIT PASSER LES TRAINS, Folio Policier n° 96.

LE CHEVAL BLANC, Folio Policier n° 182.

LE COUP DE VAGUE, Folio Policier n° 101.

LE BOURGMESTRE DE FURNES, Folio Policier n° 110.

LES INCONNUS DANS LA MAISON, Folio Policier n° 90.

IL PLEUT BERGÈRE..., Folio Policier n° 211.

LE VOYAGEUR DE LA TOUSSAINT, Folio Policier n° 111.

ONCLE CHARLES S'EST ENFERMÉ, Folio Policier n° 288.

LA VEUVE COUDERC, Folio Policier n° 235.

LA VÉRITÉ SUR BÉBÉ DONGE, Folio Policier n° 98.

LE RAPPORT DU GENDARME, Folio Policier n° 160.

L'AÎNÉ DES FERCHAUX, Folio Policier n° 201.

LE CERCLE DES MAHÉ, Folio Policier n° 99.

LES SUICIDÉS, Folio Policier n° 321.

LE FILS CARDINAUD, Folio Policier n° 339.

LE BLANC À LUNETTES, Folio Policier n° 343.

LES PITARD, Folio Policier n° 355.

TOURISTE DE BANANES, Folio Policier n° 384.

LES NOCES DE POITIERS, Folio Policier n° 385.

L'ÉVADÉ, Folio Policier n° 379.

LES SEPT MINUTES, Folio Policier n° 398.

QUARTIER NÈGRE, Folio Policier n° 426.

LES CLIENTS D'AVRENOS, Folio Policier n° 442.

LA MAISON DES SEPT JEUNES FILLES *suivi du* CHÂLE
   DE MARIE DUDON, Folio Policier n° 443.

LES RESCAPÉS DU TÉLÉMAQUE, Folio Policier n° 478.

MALEMPIN, Folio Policier n° 477.

LE CLAN DES OSTENDAIS, Folio Policier n° 558.

MONSIEUR LA SOURIS, Folio Policier n° 559.

L'OUTLAW, Folio Policier n° 604.

BERGELON, Folio Policier n° 625.

LONG COURS, Folio Policier n° 665.

CHEZ KRULL, Folio Policier n° 670.

Composition: Interligne
Impression Novoprint
le 15 septembre 2012
Dépôt légal : septembre 2012

ISBN 978-2-07-030803-3/Imprimé en Espagne.

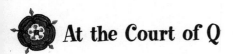

At the Court of Q

CW00404577

The Poisoned Pudding Plot

by Karen Wallace
Illustrated by Jane Cope

W
FRANKLIN WATTS
LONDON•SYDNEY

First published in 2001 by
Franklin Watts
96 Leonard Street
London EC2A 4XD

Franklin Watts Australia
56 O'Riordan Street
Alexandria
NSW 2015

Text © Karen Wallace 2001

The right of Karen Wallace to be identified
as the Author of this Work has been asserted
by her in accordance with the Copyright,
Designs and Patents Act, 1988

Editor: Louise John
Designer: Jason Anscomb
Consultant: Dr Anne Millard, BA Hons, Dip Ed, PhD

A CIP catalogue record for this book
is available from the British Library.

ISBN   0 7496 3880 X (hbk)
       0 7496 4204 1 (pbk)

Dewey Classification 942.05

Printed in Great Britain

At the Court of Queen Elizabeth

The Poisoned
Pudding Plot

by Karen Wallace
Illustrated by Jane Cope

W
FRANKLIN WATTS
LONDON•SYDNEY

The Characters

Mary Marchbank

Don Dastardo

Matilda, Lady Mouthwater

Queen Elizabeth

Toby Crumble

Lord Roderick Crusty

Earl Inkblot

The Parrot

Sydney Woodshavings

CONTENTS

❀ CHAPTER ONE ❀
The Queen in Danger

"Is that a horse or a hog, Lord Roderick?" shouted the Queen. "Faster! Faster!"

Queen Elizabeth I galloped alongside Lord Roderick Crusty, sitting side-saddle on her huge, black horse. A full purple riding skirt billowed around her like an enormous thunder cloud.

Lord Roderick Crusty felt his stomach turn to frogspawn. Riding with the Queen was the most terrifying thing he had ever done in his life. What's more, he would never had agreed to do it if Godfrey, Earl Inkblot, had not insisted.

"Our Queen is surrounded by traitors and spies," the Earl had whispered. "She must be watched over at all times."

Now, Queen Elizabeth's eyes glittered with excitement and her lips were pulled back as she leaned over her saddle.

Lord Roderick could hardly bear to look. The Queen's face was worse than a witch's in a fairy tale. Thwack! A whip stung the rump of his horse.

"Faster! I command you!" bellowed the Queen.

Lord Roderick gasped. How dare the Queen hit his horse. No one hit his horse! Lord Roderick's horse was called LusciousLizzy and she was the dearest thing in the world to him. His eyes blurred with tears of rage. It was as if he had been stung by the whip himself!

Whack!

Lord Roderick rode straight into a low branch!

The next thing he knew he was spinning round and round like a child's toy.

Then the world went black.

***

Matilda, Lady Mouthwater, bit her lip to stop her hand from trembling.

Opposite her, the Queen whistled impatiently and drummed her long fingers on the card table.

Poor Lady Mouthwater! She hated playing cards.

What's more, she would never have agreed to do it if Godfrey, Earl Inkblot had not insisted.

"Our Queen is surrounded by traitors and spies," the Earl had whispered. "She must be kept busy at all times."

So when the Queen had suggested a game of cards, Lady Mouthwater could not refuse. Even though she was no good at card games and playing with the Queen always ended in tears.

8

Other people's tears. Never the Queen's.

"Deal!" snapped the Queen. "And make sure you do it properly!"

Lady Mouthwater's heart sank. She knew what 'properly' meant. It meant the Queen wanted good cards.

Lady Mouthwater crossed her ankles and hoped for luck.

She dealt four cards to the Queen.

She dealt four cards for herself.

Matilda, Lady Mouthwater, picked up her cards and went white. The worst thing imaginable had happened! She had four aces in her hand.

Matilda, Lady Mouthwater, was going to win!

***

9

Mary Marchbank bent over the silk stocking she was mending for the Queen.

Usually at this time, she was in the garden picking armfuls of the Queen's favourite marjoram.

But that was before Godfrey, Earl of Inkblot, had summoned the Queen's entire household.

"Our Queen is surrounded by traitors and spies," he had whispered. "Her servants must be near her at all times."

Mary's sharp needle wove a fine thread back and forth across the hole in the cream silk stocking.

Sometimes she was sure the Queen made holes on purpose just to keep her maids extra busy.

In the next room, a heavy THUMP! was followed by a sharp cry, then a dull THUD!

Mary put down the stocking and peered through a small crack in the door.

10

Matilda, Lady Mouthwater, was lying on the floor. The card table was lying on top of her.

"Dull, dull, dull!" shouted the Queen. There was the sound of a foot stamping on the floor. "I am sick of being surrounded by dullards and fools!"

Mary made a snap decision.

She would leave the Queen's presence and pick a bunch of soothing marjoram. The Queen needed it and so did everyone else around her.

As Mary opened the door into the corridor, she heard a tinkle of bells. A little man with a sad, hollow face and trembling hands crept towards her.

The man's name was Loubelle. He was a jester on loan to the Queen from the French court.

When Loubelle had first arrived at court, he had a head of thick orange hair and a big smile. Now he was bald and a nervous tic played about his lips.

The only thing about Loubelle that made the Queen laugh was when she called him *poubelle* which was the French word for 'dustbin'.

Loubelle's sad puppy-dog eyes looked into Mary's face. It was as if he was reading her mind.

"How long will you be?" he muttered. He had heard Earl Inkblot's orders like everyone else.

"Five minutes," whispered Mary. "I promise." Then she ran downstairs to the garden.

***

"Good day, Mary Marchbank," cried Godfrey, Earl of Inkblot, cheerfully. "I trust your mistress is keeping well?"

Mary shifted the huge bunch of marjoram and curtseyed. "Tolerably well, Sir," she muttered.

"Have you spoken to Her Majesty this day?"

The Earl of Inkblot blushed and looked away.

"Uh, not this day," he murmured.

Not this week, thought Mary to herself. No wonder he's so cheerful.

"And how is Lord Roderick?" asked the Earl of Inkblot, hoping to change the subject away from the Queen.

"Lord Roderick is in his bed with a cracked skull," replied Mary.

She yanked another bunch of marjoram out of the ground.

"And the Lady Mouthwater?" asked Earl Inkblot.

Mary wrapped the marjoram in her apron. She had enough to feed an elephant.

"I would say the Lady Mouthwater is suffering from the same complaint, my Lord."

The Earl of Inkblot's jowly red face suddenly went grey. "So who is with the Queen now?"

"Monsieur Pou – I mean, Monsieur Loubelle," replied Mary quickly. She held up the bunch of marjoram. "I have been gone but five minutes."

At that moment the sound of the Queen's laughter floated out of the open window.

Mary and Earl Inkblot stared each other. They were both thinking the same thing. Was it possible the jester had finally made up some good jokes?

Mary raised her eyebrows. "Pou – I mean, Loubelle must have –" Suddenly her face went white as something caught her eye.

Over Earl Inkblot's shoulder, the little Frenchman was sitting on some stone steps. What looked like a vase full of flowers sat on his head.

Godfrey, Earl Inkblot, spun round when he saw Mary's face.

Neither of them said a word.

They were both too busy running.

Across the cobbled courtyard, up the oak stairs and down the panelled corridor to the Queen's private chambers.

🌸 CHAPTER TWO 🌸
A Mysterious Courtier

"Godfrey!" cried the Queen as the Earl of Inkblot stumbled into her room. "Just the person I was looking for!"

As she spoke a tall, handsome nobleman whom Mary had never seen before walked into the middle of the room.

A gold earring hung from his right ear. His hair was black and curly. And the wide, white smile he flashed at the Queen, was undeniably charming.

Mary looked sideways at the Queen's face. She had never seen her look so happy.

The Queen's eyes sparkled and there was a rosy glow to her face.

For one extraordinary moment, the Queen reminded Mary of herself when she stood by her sweetheart Sydney Woodshavings!

"Mary!" cried the Queen. "Fetch me three glasses and a bottle of my finest wine."

She laughed a silvery, tinkling laugh. "We have something to celebrate, at last!"

Godfrey, Earl Inkblot, struggled to get his breath back. He wasn't used to walking quickly, let alone running anywhere.

"How so, Your Majesty?" he gasped as he wiped away the sweat that poured down his face.

The Queen stepped forward and motioned with her hand. "Godfrey, I want you to meet Don Dastardo, newly arrived with the Spanish Ambassador."

The handsome man stepped forward and bowed. "I am honoured, Señor."

"Don Dastardo has been telling me tales of his great horsemanship," said the Queen. She sipped from the glass Mary handed her.

"Tomorrow we go hunting in the park."

The Earl of Inkblot bowed. "I am sure Lord Roderick will be recovered by then," he said.

"Lord Roderick would be better riding a toy horse," sneered the Queen.

"I will go on my own!"

Then a nasty smile flickered across her lips. "On the other hand, since you are so desirous of my safety, My Lord, you may accompany me yourself."

Earl Inkblot's face melted like a candle beside a warming pan. "But, Your Majesty," he muttered. "You know I am not an accomplished horseman."

Queen Elizabeth smirked at Don Dastardo. Then she slapped Earl Inkblot playfully on the cheek. "You will be by the end of the day!"

"I will teach you myself, Señor," murmured Don Dastardo. His eyes glittered over his glass. "I know many, how you say, short cuts."

Godfrey, Earl Inkblot, sniffed and bowed. "That's very kind of you, Sir."

***

The next day, Mary sipped a cup of sweet mead in the kitchen with Toby Crumble. Toby Crumble was one of the Queen's cooks and he and Mary had been friends for a long time.

"I don't trust that Spaniard, Toby," said Mary. "No matter how charming he is."

She shook her head slowly.

"What's more nobody seems to know how he got into the Queen's chamber."

"You don't trust him. I don't like him," muttered Toby. "And that buffoon of an Earl doesn't seem to care."

Toby picked up a big knife and began chopping angrily. "Did you know that ever since Don Dastardo went out riding with the Queen, his servants have been sending garlic bulbs and stinky Spanish olive oil to my kitchen?"

Whack! Toby's knife sliced through a turnip.

"And did you know they eat donkey sausages in Spain?"

Mary put down her cup of mead. "Ugh!"

"He even had the nerve to ask me to put them in my steak and kidney pudding." Toby picked up the length of lumpy red sausages and swung them round his head. As he let go, the sausages flew through the open door into the courtyard.

"Best place for 'em," muttered Toby.

Mary sipped her mead. "The problem is that the Earl of Inkblot seems to like him."

"That's because Don Dastardo pretended the Earl's horse was lame so the Earl could get out of hunting with them."

"What?" cried Mary angrily. "But he was the one who insisted the Queen be watched at all times."

Toby shrugged. "Apparently he's allergic to horses. They bring him out in lumps."

"Don Dastardo is hunting with the Queen again tomorrow," said Mary in a worried voice.

"Then she mustn't go alone, this time," said Toby slowly. "Lord Roderick will have to go with her."

Mary chuckled in spite of herself. "Apparently Lord Roderick thinks he's a cow."

"It doesn't matter if Lord Roderick thinks he's a cow or a chicken, he knows how to ride and it's his duty to protect his Queen," muttered Toby.

***

"Moo," groaned Lord Roderick, weakly. He held his head in his hands and lay back on his pillow.

Godfrey, Earl of Inkblot, bent down and put his mouth right beside Lord Roderick's ear. "Roderick," he hissed. "Get up, or I'll send for your mother."

It was as if Lord Roderick had been prodded with a red hot poker. He sat bolt upright in the bed.

"I'm up! I'm up!" he cried. "Only –" A terrible tremble washed over Lord Roderick's long, skinny body. "Only, please don't send for my mother."

The Earl of Inkblot's eyes narrowed. He still hadn't forgotten the time when Lord Roderick had hit his head and thought he was a horse. Which was why he, Godfrey, Earl of Inkblot, had been forced to dress up as a woman for the Queen's entertainment!

Earl Inkblot glared at Lord Roderick with eyes like poached eggs. "I should have called your mother the last time," he muttered to himself.

🌸 CHAPTER THREE 🌸
A Large Hole

The Queen bowed her head to hide a blush that was creeping up her cheeks. Beside her on an elegant white horse, Don Dastardo was smiling as the two of them trotted side by side across Richmond Park.

The Queen sighed. Was it really only a day since this delightful creature had appeared at her chamber door? He said he had a letter from his

Ambassador but somehow the letter had been misplaced along the way. And five minutes later, the letter had been forgotten.

Don Dastardo was so charming and witty. He seemed to do everything just the way she liked it.

The Queen smiled to herself. Indeed, if she didn't know better, she might have thought he'd studied her every like and dislike just to please her.

But that wasn't possible because as Don Dastardo, smiling and bowing low, had assured the Queen, he had only recently arrived in her fair kingdom.

"Her Majesty is a superb horsewoman," murmured Don Dastardo as they trotted into a small grove of trees, "and for such a person, I have planned an exciting adventure!"

The Queen blushed
again. How could Don
Dastardo know she loved
stag hunting more than
anything else.

"How perfectly
entertaining you are,
Don Dastardo!" cried
the Queen. "Pray tell,
when does the hunt
begin?"

"Now," replied Don
Dastardo with a glitter
in his eye.

Lord Roderick
appeared from behind
a tree. "Greetings, Your
Moo-jesty!"

"What are you
doing here?" muttered Don Dastardo. His eyes had
turned to tooth picks.

A silly grin played on Lord Roderick's lips.

"Watching over Her Moo-jesty," he replied.
"With the Earl of Inkblot's compliments."

The Queen threw back her head and laughed.

"You couldn't watch over a sack of cloth, Lord Roderick," she cried. "Still, now you're here, you may ride in front."

Don Dastardo turned away to hide the scowl on his face. It was part of his plan for the Queen to ride in front.

He turned back and pasted a charming grin on his face "It was in my thoughts for Your Highness to take first place," he murmured.

"Was it, dear Sir?" cried the Queen gaily. She snapped her whip and waved Lord Roderick forward. "Then sadly you thought wrong!"

As she spoke, Roderick trotted forward and set off ahead of them.

The next minute, there was a strangled yelp and he disappeared into a large hole in the ground!

❀ CHAPTER FOUR ❀
Trust Nobody!

"Baa!" cried Lord Roderick weakly. He crawled across the floor and huddled in a corner.

"Poor Lord Roderick!" said Mary Marchbank. She knelt beside him and bathed the huge black bruise on his head. "He thinks he's a sheep."

Earl Inkblot stood up and looked out of the window. The Queen was on the lawn playing skittles with Don Dastardo. He was letting her win and she was blushing and giggling like a schoolgirl.

The Earl shook his head. "How could I have been so stupid?" he muttered to himself. "No wonder that Spaniard wants to spend time alone with the Queen. She's completely under his spell."

Earl Inkblot bit his lip. Somehow he had to find proof that the Spaniard was up to no good. Especially now that Matilda, Lady Mouthwater, had also suffered a mysterious accident!

"Baa!" said Lord Roderick.

"Mary, kindly inform Lord Roderick that I'll send for his mother if he's in such a bad way," muttered the Earl.

At this, Lord Roderick grasped the side of a table and pulled himself up. "Please, don't," he whispered.

Earl Inkblot sat down and picked up a pen and piece of paper. "Then tell us exactly what happened when you joined the Queen and that Spaniard."

"I twotted ahead. Then I fell in a hole," said Lord Roderick in a trembling voice. Luckily, his dear LusciousLizzy hadn't been hurt in any way.

The Earl leaned forward. "Do you mean a hole or a trap?"

"Baa?" Lord Roderick looked blank.

The Earl rolled his eyes. "Was the hole dug on purpose and disguised with sticks and leaves?"

"How did you know?" gasped Sir Roderick. "Baaaaa!" He slumped sideways and fell off his chair.

On the other side of the room, Matilda, Lady Mouthwater, pulled at the huge bandage around her head. "Earl Inkblot!" she cried "Something has just struck me!"

"We know that Lady Mouthwater," muttered the Earl of Inkblot.

"No, no," said Lady Mouthwater, looking confused. "I don't mean *struck* me."

The Earl rolled his eyes again.

"What *do* you mean, Lady Mouthwater?" asked Mary Marchbank kindly.

Matilda, Lady Mouthwater, took a deep breath.

"I mean, I've just realised that those stones that fell on my head were meant to fall on the Queen."

"Why didn't you say so?" shouted Earl Inkblot. He pulled a piece of paper towards him.

"Tell me exactly what happened from the moment you joined the Queen and that Spaniard."

"Don Dastardo was showing the Queen a secret statue he had discovered," said Lady Mouthwater thoughtfully. "He wanted the Queen to go and look first. But then the Queen got a stone in her shoe. So I went first."

Lady Matilda drew her eyebrows together. "And the next thing I knew, a pile of stones had fallen on my head."

For a moment nobody spoke.

Then the Earl of Inkblot put down his pen.

"We *know* Don Dastardo is not to be trusted," he said slowly.

"But the Queen is obsessed by him," muttered Lady Matilda, "and no matter what we say –" She sighed and touched the bandages on her head.

"The Queen won't believe a word of it," said Mary Marchbank quietly.

At that moment, the door swung open and the
Queen sailed into the room.

"Fetch the royal wardrobe!" she cried, her
cheeks flushed. "I will have a new gown for the
banquet. It will be one of my special, clever gowns
that tells a story!"

Mary Marchbank crossed the room and
curtseyed low in front of the Queen. "Pray, Your
Majesty," she murmured. "What banquet is this?"

The Earl of Inkblot bowed. "I know of no
banquet, Your Majesty," he said.

"Of course you don't, you imbeciles," yelled the
Queen. "It's an exciting surprise, all for me!"

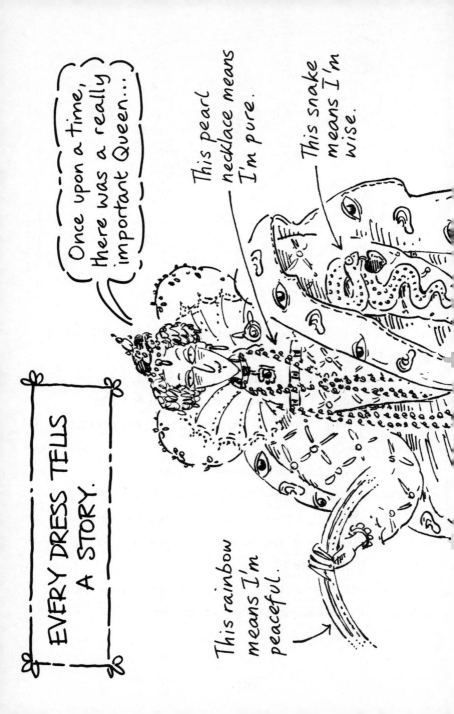

The eyes and ears mean I'm famous.

This is my country. I stayed here in Wiltshire once.

SUSSEX

WILT-SHIRE

HAMP-SHIRE

WIGHT

SOMERSET

DORSET

The Queen pulled off her shoes and threw them at the wall. "You wouldn't recognise a surprise if it fell out of the sky and hit you on the head."

Mary Marchbank glided quickly across the room. It was definitely time for the bunch of marjoram that was waiting in a bowl of hot water.

In one smooth movement, she picked up the bowl and set it down by the Queen's great chair.

"Ah, sweet Mary Marjoram," sighed the Queen.

Mary Marjoram was her special nickname for Mary when she was in good humour. She breathed in the sweet green flavour of the herb. "Apart from my dear Don Dastardo, you are –" She glared at Earl Inkblot, Lord Roderick and Lady Matilda Mouthwater and yelled at the top of her voice "– ONE OF THE FEW PEOPLE AROUND HERE THAT PLEASES ME!"

Mary Marchbank sighed. For the first time, the soothing qualities of the marjoram weren't working.

Things were definitely serious.

At that moment, the unmistakable smell of donkey sausage, fried in olive oil and garlic, filled the room.

"Greetings, Your Majesty," cried a voice, as rich

and as smooth as chocolate, "you are greater than the Moon Goddess herself, brighter than the stars. You are as pure as the driven snow."

Don Dastardo glided into the room. He held a bunch of roses in one hand and a pack of cards in the other.

"Would you like to play cards with me?"

The Queen beamed, "Usual rules?"

Don Dastardo's white teeth dazzled. His big brown eyes sparkled. He knelt and placed his soft lips on the Queen's hand.

"Usual rules," he murmured gently. "You win."

The Queen of England leaned back in her chair. "Irresistible," she breathed to herself.

❀ CHAPTER FIVE ❀
A Parrot's Story

Mary Marchbank bent down to fill her basket with marjoram. She had never picked so much in all her life. Nowadays the Queen needed double the dose. And it was all because of that creep, Don Dastardo.

Mary was just about to carry the basket back to the Queen's chamber when she saw a turquoise feather, sticking out from underneath a bush.

Mary bent down for a closer look.

The feather was attached to a wing. And the wing was attached to a parrot!

Mary gasped. What on earth was a parrot doing in the royal vegetable garden? What's more, it looked as if it was exhausted and hungry.

Mary picked up the parrot and laid it gently on top of the marjoram. Then she ran into the palace kitchens to find something to feed it with.

***

"Milk sops," said Toby Crumble, firmly. "It'll eat bread soaked in milk."

As he spoke, he held up a tiny piece of dripping bread. Immediately the parrot squawked and opened its beak.

"Toby, you're a genius," cried Mary. "Can I keep it in the kitchen?"

"Of course you can," said Toby. "It can sit on that crate of garlic Don Dastardo brought with him."

"Bad Dastardo! Bad Dastardo!" squawked the parrot, cocking its head sideways.

Mary's eyes opened as round as saucers.

"It knows Don Dastardo," she whispered.

"Don Dastardo – Spanish spy! Don Dastardo – Spanish spy!" squawked the parrot.

It leant forward and gulped another bit of milky bread. "Poisoned Pudding! Poisoned Pudding!"

Mary and Toby stared at each other.

"Toby," whispered Mary, "are you thinking what I'm thinking?"

Toby nodded slowly.

Every day for the past week, the Queen had met with Don Dastardo. And every day Don Dastardo had told her more stories about the banquet he was planning in her honour. It was to be more magnificent and more glorious than anything she had ever known.

But, most magnificent and glorious of all were his plans for a secret pudding, that his chef was going to create specially for her.

"I think the Queen should meet this parrot," said Mary in a serious voice. She picked up a wooden spoon and held it out.

Quick as a flash, the parrot jumped on top.

"I wonder what Don Dastardo really thinks about the Queen?" said Toby with a grin.

The parrot cocked his head. "Bald as a coot! Wrinkled as a prune!" it squawked.

Despite themselves, and even though they both knew it was high treason, Toby and Mary burst out laughing.

***

Nobody spoke.

Mary thought later it was the most embarrassing moment of her whole life.

The entire household had been summoned into the Queen's chamber.

The parrot had been given a perch right next to the Queen's great chair.

The Queen had said the words 'Don Dastardo'.

And the parrot had told her everything he knew. And that included the fact that Don Dastardo was married with seven children and that he had taken on the job of spy and poisoner to pay off his gambling debts.

You could have heard a mouse cough.

Nobody knew where to look.

"Summon the cook!" cried the Queen suddenly.

Matilda, Lady Mouthwater, went white. "But, Your Majesty," she whispered, "the parrot was only answering questions."

"I'm not going to eat him, you idiot," snapped the Queen. "I want the cook to bake precisely the same pudding as that, that –" The Queen took a deep breath. "THAT DIRTY, STINKING, GARLIC-BREATHING DOG!"

Earl Inkblot stepped forward. "Does Your Majesty have a cunning plan?" he asked in a trembling voice.

"A most cunning plan indeed," replied the Queen. She smiled and tickled the top of the parrot's head. It was as if she had forgotten she had ever met a nobleman called Don Dastardo.

Instead she was dealing with a Spanish spy who had to be caught and trapped red-handed.

At that moment, Toby Crumble stepped into the room. "Take this parrot and pick his brains," commanded the Queen.

Toby gasped.

The Queen rolled her eyes in exasperation.
"Not literally, you fool!"

She turned to Mary Marchbank. "A word in
your ear, please," she muttered.

***

Mary had never questioned a parrot before but she and Toby soon learned the knack.

It was all to do with milky bread.

She gave some to the parrot.

The parrot gave her answers in return.

It took all afternoon but finally they had a clear picture of exactly what Don Dastardo's secret pudding looked like.

It was in the shape of a crown, with a marzipan heart in the middle.

On the top of the heart, candied cherries outlined a map of England. Over the top of the whole thing was a topping.

"What kind of topping?" asked Mary.

The parrot cocked his head to one side and looked puzzled.

"What's it made of?" asked Mary. She held up a milk sop.

The parrot snapped up the soft bread. "Spun Sugar like a Net. Spun Sugar like a Net."

Toby looked down at the picture he had drawn and gave a low whistle.

"Every pudding tells a story," he murmured.

"What do you mean?" asked Mary.

"This is more than a pudding," explained Toby.

"It's a picture of how England and the Queen are to be captured by the Spanish." He pointed to the picture. "See! The crown and country are caught in a net."

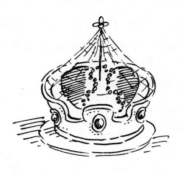

🌸 CHAPTER SIX 🌸
Fishing for Spaniards

The Queen's plan had been simple but devilishly clever. She told Don Dastardo she had hurt her ankle and couldn't travel, and requested that he hold the banquet at her Palace on the river.

At first Don Dastardo didn't like the idea. But when the Queen also suggested he bring his amazing pudding since it was already prepared, everything changed.

Suddenly Don Dastardo was delighted with the plan. Indeed he would be honoured to bring his pudding to the Queen's great palace.

***

Two hours later, Don Dastardo was sitting at the head of a long banqueting table. He wiped his mouth on his sleeve and looked out of the window.

The view was spectacular. A bright red sun was setting and the room was cast in a rosy glow.

Don Dastardo was feeling rather rosy, too. After two bites of the pudding his servants had delivered to the Queen's kitchen, the ugly old witch would complain of a headache and leave the room.

Then, quick as a flash, he, Don Dastardo, would take his leave and set off home. Don Dastardo stifled a loud burp. By the end of the week, England would be in Spanish hands.

"Did you enjoy your stew?" The Queen's eyes twinkled as she spoke.

"Delicious," murmured Don Dastardo. "Do I detect a hint – ?"

The Queen beamed happily. "You do indeed, dear Sir," she said. "My cook has been saving your, um, special sausages."

Which wasn't quite the truth, but Toby did find one in the corner of the kitchen that the cat had refused to eat.

Don Dastardo smiled "But why did you not have any yourself, dear lady?" he asked sweetly.

"I am saving myself for the pudding, Don Dastardo," replied the Queen in a voice as sweet as his.

***

The Queen clasped her hands together and
stared down at the wonderful pudding Toby
had made.

The real pudding, made by Don Dastardo, was
in the process of being boxed up as evidence against
Spain.

"What a beautiful pudding, Don Dastardo!"
cried the Queen. "Indeed my heart is in my country
and my crown."

The Queen's eyes sparkled. "But, what is the
meaning of this spun sugar topping?"

Don Dastardo bowed. "It's the golden glow which follows Your Majesty everywhere she goes," he murmured smiling.

As he spoke, Don Dastardo cut through the spun sugar net and placed a large piece of pudding on the Queen's plate.

Then he sat down on the special chair he had been given, crossed his legs and waited.

Even though the court had been told to pretend they knew nothing, a silence fell over the room.

Everyone watched as the Queen stuffed mouthful after mouthful of Toby's delicious pudding into her mouth.

Opposite her, Don Dastardo looked more and more puzzled.

"Is something the matter, dear Sir?" asked the Queen as she pushed her plate forward for seconds.

Don Dastardo slumped in his chair. "No, no, nothing," he muttered in a strangled voice. "I, um, that is, the, ah –"

"Perhaps some exotic fruit will clear your mind," said the Queen. She clapped her hands.

Toby stepped forward and put an enormous spun sugar pineapple on the table.

"I chose it especially," murmured the Queen.

She lifted up the top and the parrot jumped out, flapping its wings and squawking.

Don Dastardo's face went white. "Where did you find this parrot?" he whispered.

"In my garden," replied the Queen brightly. "Why? Have you seen him before?"

"Never," cried Don Dastardo. "Never in my life."

"He's very talkative," murmured the Queen.

She picked up a piece of milky bread and showed it to the parrot.

The parrot grabbed the bread and jumped up onto Don Dastardo's shoulders.

"Pudding Poisoner! Pudding Poisoner!" it squawked.

Don Dastardo clutched the arms of his chair.

"I can explain everything," he cried.

"Can you really?" murmured the Queen. "Then you had better explain it to your King."

Suddenly the Queen's eyes looked like daggers. "If you can swim, that is!"

And before Don Dastardo could reply, a trap door opened and he fell, arms and legs flailing, down into the river below.

The Queen walked across to a window that looked out at the swirling grey water of the Thames.

Don Dastardo was frantically swimming to the shore. In fact, swimming directly to the spot where Godfrey, Earl of Inkblot and Lord Roderick Crusty were waiting with a great big net to fish him out!

Mary Marchbank curtseyed by the Queen's chair. "What shall I do with the parrot, Your Majesty?" she asked quietly.

The parrot cocked its head and jumped onto the Queen's shoulder "Smelly Spaniard! Smelly Spaniard!" it squawked.

The Queen threw back her head and laughed. "Leave him with me! He deserves a knighthood for his services to the crown!"

 NOTES
At the Court of Queen Elizabeth
(How it really was!)

Hunting

The Queen loved hunting. She rode and killed with the men while most ladies preferred to shoot from special stands. The honour of killing the fallen deer was always offered to the Queen first.

Elizabethan Outdoor Games

Courtiers and common people alike enjoyed games. Apart from lawn bowling, Elizabethans played shuttlecock (which was rather like badminton), billiards, archery, skittles and tennis.

Elizabethan Card Games

The Queen was particularly good at cards and she was very fond of winning. Her favourite game was called Primero, although she also played Maw, Gleek and a game called One & Thirty.

Politics and Clothing

Often the patterns and decorations on the Queen's clothes had special meanings. The pearls on many of her dresses were supposed to symbolize her purity and royalty. In one portrait, she is painted holding a rainbow. A rainbow was the symbol of peace.